Maya y Alex y el Sol Mecanizado

Maya & Alex, Volume 1

Antonio Carlos Pinto

Published by Antonio Carlos Pinto, 2023.

MAYA Y ALEX Y EL SOL MECANIZADO

First edition. November 6, 2023.

Copyright © 2023 Antonio Carlos Pinto.

ISBN: 979-8223629566

Written by Antonio Carlos Pinto.

MAYA YALEX

Y EL SOL MECANIZADO

Escrito por Antonio Carlos Pinto

Tabla de contenido

MAYA YALEX

Y EL SOL MECANIZADO

Escrito por Antonio Carlos Pinto

resumen

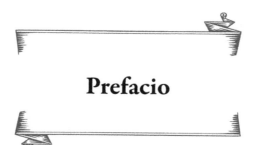

Prefacio

En un mundo donde el destino de la humanidad se ve arrojado a una vorágine de desafíos cósmicos, Maya emerge como una figura extraordinaria. En un universo donde el sol, una vez radiante, ha perdido su calor y luz, la Tierra queda sumida en la oscuridad. La humanidad se enfrenta a una elección crítica: quedarse y luchar contra la devastación inminente o buscar un nuevo hogar entre las estrellas.

Se lanza un audaz proyecto llamado Génesis, que transporta a miles de personas a un planeta cerca de la estrella Vegas, donde sigue viva la esperanza de una vida más allá de la sombra del olvidado sol original. Entre los elegidos para este proyecto, Maya y su padre, figuras luminosas en un escenario oscuro, optan por seguir un camino diferente.

Maya y su padre permanecen en la Tierra, un lugar alguna vez iluminado por la luz del sol, ahora cubierto por una oscuridad fría y siniestra. Decididos a encontrar una solución a la crisis, se propusieron desarrollar el Sol Mecanizado, una ingeniosa maravilla tecnológica capaz de capturar y transmitir energía, reavivando la llama de la supervivencia.

A medida que el proyecto avanza y la esperanza se mantiene viva, el destino juega sus cartas. La muerte del padre de Maya la deja sola, con la responsabilidad de afrontar los peligros imprevistos de este nuevo mundo. En un entorno donde reina la ley del más fuerte, Maya se ve desafiada a cada paso a mantenerse firme, adaptarse y resistir la soledad que la amenaza.

En un mundo donde la luz y el calor son esenciales para la vida, Maya lucha por sobrevivir utilizando su inteligencia, sus habilidades técnicas y la herencia dejada por su padre. Sola, se enfrenta a crueles obstáculos y descubre el verdadero significado de la resiliencia y la determinación.

Mientras los vientos de cambio azotan su viaje, Maya se encuentra en la encrucijada entre sobrevivir y darse por vencido. ¿Podrá encontrar el coraje dentro de sí misma para superar la oscuridad, encontrar su propia luz y reavivar la esperanza en aquellos que encuentre en el camino? El viaje de Maya se convierte en una saga de descubrimiento personal, coraje y perseverancia en un mundo que pone a prueba los límites de la humanidad.

Esta es la historia de Maya, la guardiana de un sol mecanizado, y su solitaria búsqueda de supervivencia en un universo frío e implacable.

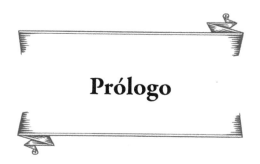

Prólogo

En lo profundo del cosmos, donde las estrellas brillan como diamantes en un vasto velo negro, la humanidad se enfrenta a una sombra que se extiende más allá de lo imaginable. Un sol que alguna vez fue brillante, fuente de vida y energía, ahora está debilitado, perdiendo su luz y calor. Su danza celestial se convierte en un último aliento mientras lanza su última mirada a un mundo que lo ha reverenciado durante eones.

En este oscuro escenario, en un remoto rincón de la Tierra, emerge una figura cuyo destino se entrelaza con la lucha por la supervivencia. Maya, una joven de mente ingeniosa y corazón valiente, siente los cambios en el viento cósmico. Mira las estrellas, que ahora parecen menos brillantes, y siente el frío tocar su piel, un recordatorio constante de la oscuridad inminente.

Maya no es ajena a la oscuridad, pero tampoco se deja vencer por ella. Su conexión con su difunto padre, un científico que desafió los límites de la comprensión humana, la inspiró a aceptar la incertidumbre. Juntos crearon el Sol Mecanizado, un faro técnicamente brillante que emana calor y energía, un testimonio de su determinación de enfrentar lo desconocido.

Mientras el mundo entero vuelve sus ojos hacia el cielo, buscando respuestas que las estrellas parecen negarse a brindar, Maya y su padre se mantienen firmes. Unidos por lazos indestructibles de amor y un propósito compartido, enfrentan la colosal tarea de mantener viva la llama de la humanidad.

Pero el destino es un tejedor de historias complejas, y la vida de Maya se ve sumida en el caos cuando le arrebatan a su padre, dejándola sola en un mundo que sólo conoce la ley de la supervivencia. En un mundo donde la luz se ha apagado y el calor ha desaparecido, Maya se ve empujada a un viaje solitario de autodescubrimiento, desafíos hercúleos y encuentros inesperados.

A medida que el tiempo se escapa entre sus fríos dedos y la oscuridad amenaza con consumirlo todo, Maya se enfrenta a las complejidades de un mundo en colapso donde las estrellas ya no son guías confiables. Se enfrenta a una oscuridad interior que amenaza con eclipsar su esperanza, pero también descubre la fuerza intrínseca que sólo puede encontrarse en la soledad de la noche más oscura.

Este es el prólogo de Maya, una historia que traza los contornos de las sombras que acechan en un mundo desesperado, pero que también celebra la resiliencia del espíritu humano y la capacidad de encontrar luz en las profundidades de la oscuridad. El viaje de Maya está a punto de comenzar y, con él, una saga de coraje, innovación y búsqueda incansable de supervivencia y significado.

El último aliento del sol

La oscuridad descendió sobre el mundo, un pesado manto que se cernía sobre los corazones y las mentes de todos. La Tierra, alguna vez bañada por la luz dorada del sol, era ahora un lugar oscuro y frío, donde los últimos rayos de calor se disipaban como recuerdos lejanos. Y así asistimos al último aliento del sol.

Recuerdo ese día como si fuera ayer, cuando las estrellas empezaron a brillar con una intensidad que nunca antes había visto. Parecía que el cielo se estaba preparando para algo grande, o tal vez un desastre inminente. La gente se agolpaba en las calles, mirando al horizonte, buscando respuestas que nadie podía ofrecer.

Al atardecer, los colores pintaron el cielo en tonos naranja y rosa, una despedida silenciosa que nadie podía predecir. La luz parecía más tenue, más parpadeante, como si el sol estuviera luchando por cumplir su promesa de calentarnos. Yo estaba allí, junto con la multitud, con el corazón lleno de aprensión.

Y entonces sucedió.

El sol, que alguna vez fue una esfera gloriosa y poderosa, comenzó a retroceder. Como avergonzado de su propia debilidad, se encogió ante nuestros ojos incrédulos. La luz se atenuó, el calor disminuyó y la oscuridad avanzó, tragándose todo a su paso.

Los gritos de la multitud resonaron como un coro lúgubre, un lamento por la pérdida que estaba sucediendo justo ante nosotros. Las estrellas brillaban aún más, como si estuvieran celebrando el ascenso de su nueva reina, la noche eterna.

Y entonces, el sol se puso. No hubo explosión ni brillo final. Fue una salida silenciosa, como si hubiera aceptado su destino con resignación. La oscuridad se hizo más profunda y el frío congeló nuestros corazones. Lo que antes era familiar se volvió extraño, lo que era seguro se volvió incierto.

Las consecuencias fueron rápidas y crueles. La temperatura bajó, la vida se retiró y la esperanza desapareció como un sueño lejano. Estábamos indefensos, sin el sol que nos guiara o nos calentara. El mundo tal como lo conocíamos había cambiado para siempre, sumido en una oscuridad sin fin.

Y así sobrevivimos, luchando por encontrar formas de mantener la luz encendida en un mundo que se había vuelto frío y oscuro. Y yo, Maya, vi el último soplo del sol, fui testigo de la caída de la luz que una vez nos sostuvo. Y ahora me enfrento al desafío de reavivar la llama de la esperanza en un mundo donde las estrellas brillan pero el calor es sólo un recuerdo lejano.

Incursión en Las Vegas

A medida que las sombras de la noche se alargaban sobre la Tierra, los gobiernos del mundo no permanecían inertes ante el inminente desafío al que se enfrentaban. Líderes de naciones antiguas y nuevas, unidos por la urgencia de la situación, se unieron para idear un plan audaz y ambicioso: una incursión a un planeta cercano a la estrella Vegas, un rayo de esperanza en medio de la oscuridad.

Las salas de conferencias resonaban con voces serias y miradas decididas. Fue una carrera contra el tiempo, un intento de escapar del abrazo helado que envolvía a la Tierra. El proyecto Génesis, como se llamó, representó una oportunidad para que la humanidad comenzara de nuevo en un nuevo hogar, donde la luz del sol aún brillaba.

Los científicos, ingenieros y visionarios trabajaron incansablemente para diseñar los barcos y las tecnologías necesarias para esta monumental misión. Soñaban con un futuro en el que los niños no crecieran bajo el peso de la oscuridad y en el que la promesa de un cálido amanecer no fuera sólo un cuento de hadas.

En un día histórico, se botaron los barcos, dejando atrás el único mundo que habíamos conocido. Miles de almas valientes se embarcaron en este viaje, cada una trayendo consigo la esperanza de un nuevo amanecer. Y los vi irse, con una mezcla de asombro y tristeza.

Entre ellos estaba mi padre, un científico que siempre había creído que el poder de la mente humana podía afrontar cualquier adversidad. Creía en la posibilidad de restaurar nuestro sol, de reavivar la llama apagada. Él fue quien me enseñó a nunca rendirme, por muy oscura que sea la noche.

Pero mientras partían hacia Las Vegas estrella, mi padre y otros, incluyéndome a mí, eligieron un camino diferente. Decidimos quedarnos atrás, enfrentar la oscuridad de frente y buscar una solución dentro del corazón helado de la Tierra. Mi padre creía que, con suficiente ingenio, podríamos crear nuestra propia luz.

Los días se convirtieron en noches, las semanas en meses y las estaciones iban y venían. Las redadas de Las Vegas fueron como una luz lejana en el horizonte, un faro que nos recordaba que la humanidad estaba viva a pesar de la oscuridad que nos rodeaba.

Y entonces, un día, mi padre se fue, no en una nave espacial, sino para siempre. Su partida dejó un vacío en mi corazón, un vacío que parecía hacer eco de la oscuridad que se tragaba al mundo. Sin embargo, también me dejó una preciosa herencia: el Sol Mecanizado, la creación que él creía que podría salvarnos.

Ahora me enfrento al desafío de continuar su trabajo, de encontrar una manera de reavivar la calidez y la luz que nos fueron arrebatadas. No estoy solo, pues hay otros que comparten mi deseo de luchar contra la noche eterna. Y así, mientras continúan las redadas en Las Vegas y la esperanza brilla en el cielo distante, los que quedamos trabajamos incansablemente para recuperar el brillo perdido del sol, una chispa de esperanza en la oscuridad.

Verdad oscura

Los oscuros y silenciosos pasillos del laboratorio de mi padre resonaban con el eco de mis pasos mientras caminaba por los pasillos llenos de recuerdos. Cada banco de trabajo, cada pantalla parpadeante, parecía un recordatorio constante del hombre que ya no estaba aquí. Un destello de dolor atravesó mi corazón al recordar la sonrisa confiada que solía usar, el brillo en sus ojos cuando hablaba de sus descubrimientos.

Un ruido suave, casi imperceptible, me sacó de mi ensoñación. Mis sentidos se intensificaron mientras me movía cautelosamente hacia la fuente del sonido. Y entonces lo vi: una carpeta, cuidadosamente escondida en la esquina de un mostrador, que contenía diagramas complejos, ecuaciones indescifrables y notas meticulosas. Fue el trabajo de mi padre, su investigación final.

Mientras profundizaba en la lectura, mis cejas se alzaron con incredulidad. Había descubierto algo monumental, algo que desafiaba toda nuestra comprensión del universo. Había encontrado un acelerador de partículas construido por una civilización avanzada, una tecnología capaz de desatar una explosión de energía oscura que podría incinerar todo lo que hay en la Vía Láctea a la velocidad de la luz.

La realidad parecía absurda, un complot sacado directamente de una pesadilla cósmica. Pero la evidencia era innegable, los cálculos estaban ahí, los complejos diagramas indicaban una verdad que no podía negar. Mi padre tenía razón. Y luego, como si la realidad no fuera ya lo suficientemente compleja, también planteó la aterradora posibilidad de que esta tecnología pudiera haber sido utilizada por los humanos en el pasado para bombardear el sol, provocando la extinción de su luz.

Un escalofrío recorrió mi espalda mientras reflexionaba sobre las implicaciones. Era difícil creer que algo tan inimaginable pudiera haber sucedido, que los seres humanos pudieran haber provocado la destrucción del propio sol. Una sombra se elevó sobre lo que ya era un mundo sumido en la oscuridad, una sombra de culpa y misterio.

Sin embargo, mi búsqueda de respuestas se vio abruptamente interrumpida cuando el silencio del laboratorio fue roto por un ruido agudo, el tintineo distorsionado de una puerta al abrirse. Mi corazón dio un vuelco cuando me di vuelta, mis ojos se abrieron cuando vi una figura sombría emerger de las sombras.

"Maya", resonó la voz, fría y afilada como una espada. Era una voz que reconocería en cualquier lugar: el líder de esa civilización estelar, aquellos que poseían la tecnología para infligir un daño irreparable al universo.

Mi mano instintivamente se movió hacia el arma atada a mi cinturón, pero la figura no se acercó más. Sus ojos, fríos como la oscuridad del espacio, me estudiaron con una intensidad que me hizo sentir incómoda.

"Tu padre tenía razón", dijo, su voz tenía un tono que no pude descifrar. "Descubrió lo que pocos pudieron hacer. Y eso lo hizo peligroso".

Mis emociones se mezclaron en un torbellino. Ira, confusión, desesperación. Mi padre, cuyo amor por la humanidad lo llevó a buscar la verdad, había encontrado su propia destrucción.

Antes de que pudiera reaccionar, antes de que pudiera luchar o cuestionar, él desapareció, tan rápido como había aparecido. Y me quedé allí, solo con sus palabras y la oscura verdad que llevaban consigo.

Mi padre descubrió la verdad sobre el acelerador de partículas alienígena, sobre la tecnología que podría destruir todo lo que conocemos, incluida la luz solar. Y pagó el precio de su incesante búsqueda de respuestas. Ahora me enfrentaba al legado que había dejado, una verdad amarga y aterradora que sacudió los cimientos mismos de nuestra comprensión del cosmos.

Mi viaje para descubrir más sobre esta tecnología y la civilización estelar que la poseía apenas comenzaba. Pero una cosa estaba clara: ya no estaba más motivado que antes...

La sensación de que me estaban observando permaneció conmigo, incluso después de que la figura en sombras desapareció en las sombras del laboratorio. Su presencia dejó un rastro de inquietud, una sensación de que mi mundo estaba a punto de hacerse añicos.

Me aferré a la carpeta que contenía los descubrimientos de mi padre como si fuera un tesoro. Cada palabra escrita, cada ecuación compleja, eran como fragmentos de su mente que ahora se convirtieron en mi brújula. Estaba decidido a seguir sus pasos y descubrir lo que había encontrado, lo que había visto en los confines del universo.

Pero la verdad fue abrumadora. La idea de que una civilización avanzada tuviera el poder de causar tal destrucción me atormentaba. ¿Cómo podríamos enfrentar una amenaza tan formidable? Aún así, sabía que no podía dejar que el miedo me dominara. Mi padre creía que se podía restaurar la luz y yo estaba decidido a cumplir su legado.

Los días se convirtieron en noches y las noches en días mientras me sumergía en las notas de mi padre. Cada línea, cada ecuación, era una pieza de un rompecabezas cósmico que estaba decidido a armar. Mientras exploraba sus hallazgos, empezó a surgir un patrón, una pista que parecía sugerir que la tecnología de los aceleradores de partículas podía revertirse, que su energía destructiva podía utilizarse para restablecer el equilibrio.

Pero lo que realmente me intrigó fue la conexión entre esta tecnología y la pérdida de luz solar. ¿Esta civilización estelar, o quizás incluso los humanos del pasado, había utilizado esta tecnología para un propósito tan devastador? Necesitaba saber más, necesitaba encontrar respuestas.

Mi búsqueda me llevó a los rincones más oscuros de Internet, donde circulaban como fantasmas rumores y teorías de conspiración. Encontré referencias crípticas a experimentos misteriosos, a eventos que desafiaron la naturaleza misma del cosmos. Una historia antigua, casi perdida en las sombras del tiempo, hablaba de un evento catastrófico que había sumido al mundo en la oscuridad.

Cuanto más indagaba, más pruebas descubría y más piezas del rompecabezas encontraba. La conspiración fue vasta y abarcó siglos y mundos desconocidos. Pero una cosa estaba clara: mi padre había descubierto algo que lo convertía en una amenaza, algo que lo llevó a la muerte.

A medida que me acercaba a la verdad, la oscuridad que se cernía sobre mí parecía profundizarse. Sabía que estaba recorriendo un camino peligroso, que mis pasos estaban siendo vigilados por quienes querían mantener enterrado el secreto. Pero no pude regresar. La búsqueda de la verdad se había convertido en una parte inextricable de mí, una llama que ardía incluso en las noches más oscuras.

Entonces, mientras las estrellas brillaban en el cielo nocturno, continué mi viaje hacia lo desconocido. El legado de mi padre, sus oscuros descubrimientos y su promesa de restaurar la luz estaban entretejidos en una narrativa cósmica que estaba decidido a desentrañar. Mi búsqueda me llevaría a enfrentar desafíos inimaginables, a cuestionar todo lo que sabía y a luchar contra fuerzas más allá de mi comprensión. Y por eso estaba preparado para seguir adelante, incluso si eso significaba enfrentarme a una civilización estelar cuyos oscuros secretos amenazaban la esencia misma del universo.

Sombras de conspiración

Cada día que pasaba, mi determinación crecía aún más. Sabía que estaba en el camino correcto, incluso si ese camino estaba lleno de oscuros secretos y peligros ocultos. Con el brazalete en mi brazo izquierdo, me sentí conectada con mi padre de una manera única. Era un legado que él había dejado, una tecnología que mejoré y usé para enfrentar los desafíos que se presentaron.

El portal dimensional que se abrió en respuesta a mis elecciones dio vida a las armas y el equipo que necesitaba. Era como si mi padre estuviera conmigo, guiándome desde algún lugar más allá de la oscuridad. Con cada batalla que peleé, cada desafío que enfrenté, honré su legado y continué su búsqueda de la verdad.

Los rumores que había descubierto sobre el acelerador de partículas alienígenas me llevaron a un inframundo clandestino, donde sombras conspirativas bailaban en las paredes y los secretos se intercambiaban como monedas. Buscaba respuestas, pero lo que encontré fueron más preguntas, enigmas que se enredaban como telarañas.

Las figuras sombrías que se cruzaron en mi camino no sólo eran agentes de una conspiración, sino también guardianes de secretos cósmicos. No compartían su información fácilmente y cada paso hacia la verdad era una batalla cuesta arriba. Pero estaba dispuesto a enfrentarlos, a luchar por cada dato que pudiera acercarme a la verdad.

En medio de estas sombras, también encontré aliados poco probables. Personas que, como yo, buscaban respuestas y estaban dispuestas a arriesgarlo todo para encontrarlas. Juntos formamos una red de resistencia, compartiendo información, intercambiando recursos y enfrentando los peligros que se avecinaban.

Mientras exploraba los rincones más oscuros de la conspiración, también descubrí un vínculo inesperado con la civilización estelar que mi padre había mencionado. Sus acciones fueron más vastas y peligrosas de lo que jamás había imaginado. Eran una fuerza a tener en cuenta, con tecnologías que desafiaban las leyes de la realidad. Pero lo que buscaban, lo que deseaban lograr con su devastadora tecnología, seguía siendo un enigma.

Cada pista que encontré, cada paso que di, me acercó al inevitable enfrentamiento. Sabía que estaba a punto de enfrentarme a una fuerza más allá de todo lo que había visto jamás, una amenaza que podría alterar el curso del universo. Pero mi determinación no flaqueó. El legado de mi padre estaba en mis manos y estaba dispuesto a enfrentar cualquier cosa que viniera a sacar la verdad a la luz, incluso si eso significaba enfrentar la oscuridad misma del cosmos.

Y así, con mi pulsera como aliada y mi determinación como fuerza, seguí adelante. Cada batalla, cada misterio, me acercó a la verdad final. Enigmas cósmicos se desplegaron ante mí, revelando un panorama que desafiaba todo lo que conocía. Y mientras me enfrentaba a las sombras de la conspiración, supe que estaba a punto de desatar una batalla que determinaría el destino de toda la existencia.

La red de la conspiración

La red de conspiración se extendía ante mí como una red compleja e interconectada. Cada pista que descubrí parecía revelar un nuevo nivel de secretos y misterios. Pero estaba decidido a descifrar el enigma, a descubrir los planes que habían conducido a la destrucción de la luz del Sol y que ahora buscaban impedir el renacimiento del Sol Mecanizado.

Los aliados que había reunido en mi búsqueda de la verdad se convirtieron en mi fuerza. Juntos, compartimos información, planificamos estrategias y enfrentamos las sombras que amenazaban nuestro progreso. Cada uno tenía una habilidad única, una pieza esencial del rompecabezas que estábamos armando.

A medida que profundizamos en la trama de la conspiración, quedó claro que nuestros enemigos eran formidables. Eran persistentes, implacables y estaban dispuestos a utilizar cualquier medio necesario para mantener ocultos sus secretos. Era como si estuvieran un paso por delante de nosotros, anticipando nuestros movimientos y bloqueando nuestros avances.

Una noche, mientras analizaba las notas de mi padre, salió a la luz un descubrimiento impactante. Los símbolos y diagramas que había dibujado contenían pistas codificadas, mensajes ocultos que indicaban que la tecnología de la civilización estelar estaba siendo utilizada para evitar que se activara el Sol Mecanizado. Fue una revelación desgarradora, una traición cósmica que hirió profundamente.

Con este nuevo entendimiento, supe que ya no podíamos estar a la defensiva. Había llegado el momento de actuar, de afrontar directamente las sombras de la conspiración. Reuní a mis aliados y compartí la información que había descubierto. Juntos, ideamos un plan para infiltrarnos en las instalaciones donde se controlaba la tecnología alienígena.

La batalla que siguió fue intensa e implacable. Cada paso que dábamos era un desafío, cada corredor que recorríamos estaba lleno de trampas y enemigos decididos. Pero con nuestros recursos combinados y nuestras agudas habilidades, logramos avanzar, superando obstáculos y derrotando a quienes intentaron detenernos.

Finalmente llegamos a la sala central, donde se estaba operando la tecnología alienígena. Los paneles parpadeaban con luces extrañas y controles complejos, y el zumbido constante llenaba el aire. El líder de la conspiración, el que se escondía en las sombras, surgió ante nosotros con la mirada fría y desafiante.

No lo dudé. Con la pulsera en mi brazo accedí al menú que me permitía elegir mis armas y modos de batalla. Mi inteligencia artificial procesó mis elecciones y, en cuestión de segundos, el portal dimensional se abrió, dando vida a las armas que necesitaba.

Las palabras del líder de la conspiración resonaron en la habitación, creando un silencio tenso cuando nuestras miradas se encontraron. Su tono lleno de confianza y desafío me golpeó como un golpe. Parecía saber más de lo que debería, más de lo que yo había compartido con nadie. Pero no permitiría que su retórica debilitara mi determinación.

"Naciste para este día, Maya", declaró con una sonrisa enigmática. "Este es tu destino y no puedes escapar de él. Fue un placer haber sido derrotado por Black-Fire".

Fruncí el ceño, sorprendida de que me llamara por el nombre que usaba como justiciero, Black-Fire. ¿Cómo lo supo? ¿Cómo supo mi identidad? El líder de la conspiración sabía más de lo que dejaba entrever, y eso me hizo estar aún más decidido a descubrir toda la verdad.

"No sabes nada sobre mí o lo que he enfrentado", respondí con firmeza, mi tono resonó por la habitación. "Y no importa cuál sea tu propósito, no permitiré que destruyas lo que queda de luz en nuestro universo".

Él se rió, un sonido helado que cortó el aire. "No lo entiendes, Black-Fire. No se puede negar el destino, y tus acciones sólo han acelerado lo inevitable. Cada paso que has dado nos ha traído a este momento".

Antes de que pudiera responder, mis aliados se apresuraron hacia adelante, decididos a derrocar al líder de la conspiración y detener sus siniestras palabras. Se desarrolló una feroz batalla, cada golpe intercambiado fue un testimonio de nuestra determinación y fuerza combinadas. Mientras luchábamos, me preguntaba qué quería decir el líder con "destino".

Finalmente, después de una intensa lucha, logramos derrotar al líder de la conspiración. Estaba tendido en el suelo, derrotado e impotente. Lo miré, respirando con dificultad y decidí que era hora de obtener respuestas.

"¿Qué quieres decir con 'destino'?" Pregunté, acercándome a él.

Él se rió, una risa amarga. "Ya lo verás, Black-Fire. Las piezas del tablero cósmico se están alineando y pronto comprenderás lo que realmente está en juego".

Antes de que pudiera decir algo más, presionó un dispositivo en su muñeca y un resplandor brillante nos rodeó. Cuando la luz se disipó, él se fue, dejando atrás sólo una sensación de misterio e inquietud.

Miré a mis aliados, compartiendo una mirada silenciosa con ellos. El líder de la conspiración había escapado, pero sus palabras resonaban en mi mente. ¿Qué quiso decir con "destino"? ¿Cuáles fueron las piezas del tablero cósmico que mencionó? Las respuestas estaban ahí fuera, esperando a ser descubiertas, y yo estaba más decidido que nunca a encontrarlas.

Con la tecnología de mi brazalete, la fuerza de mis aliados y la determinación ardiendo dentro de mí, estaba listo para seguir adelante. Puede que el destino fuera desconocido, pero estaba decidido a darle forma, a enfrentar las sombras de la conspiración y sacar la verdad a la luz. El universo estaba al borde de la oscuridad, pero yo estaba dispuesto a luchar para restaurar la luz, sin importar lo que me deparara el futuro.

De vuelta a casa

Regreso al laboratorio con la determinación de activar el sol mecanizado. Miro la imponente estructura que tengo ante mí, una máquina que representa la esperanza en un mundo privado de luz solar. Con expresión decidida, empiezo a interactuar con los complejos controles y las interfaces futuristas.

Activo el brazalete en mi brazo izquierdo y aparece un menú holográfico ante mí. Navego rápidamente entre las opciones y selecciono los algoritmos que deberían iniciar el proceso. Sin embargo, cuando intento encender el sol mecanizado, aparece un mensaje de error en la pantalla.

"Falta el algoritmo de inicialización. No se puede activar el Sol Mecanizado".

Frunzo el ceño, perplejo. Recuerdo las notas de mi padre sobre el funcionamiento del sol mecanizado, pero parece que falta algo crucial. Mi mirada se posa en la mesa de trabajo donde están las notas y proyectos que dejó.

Con un sentimiento de urgencia, escaneo los documentos en busca de pistas sobre el algoritmo de inicialización. Encuentro una página en blanco, lo que indica que se han eliminado parte de las notas. Un escalofrío recorre mi espalda cuando me doy cuenta de que falta información vital.

"¿Por qué alguien iba a quitarme esta información?", murmuro para mis adentros.

Mi mente comienza a girar rápidamente, conectando los puntos. Recuerdo las palabras del líder de la Conspiración, la mención del experimento de física extraterrestre y el potencial de destrucción. ¿Podría haber una conexión entre esta conspiración y la falta de información que necesito para activar el sol mecanizado?

Decidido a descubrir la verdad, salgo del laboratorio y reúno a mis aliados. Comparto mis hallazgos y les informo sobre la ausencia del algoritmo de inicialización y parte de las notas de mi padre. Juntos, nos preparamos para embarcarnos en un nuevo viaje, con la esperanza de encontrar las respuestas que necesitamos para activar el sol mecanizado y proteger el futuro de nuestro mundo.

Mientras nos preparamos para partir, le doy una última mirada al sol mecanizado. Siento el peso de mi destino sobre mis hombros, pero también una determinación inquebrantable. Estoy dispuesto a enfrentar desafíos, descubrir secretos y luchar contra las sombras de la conspiración para asegurar que la luz pueda brillar nuevamente en nuestra oscura realidad.

Y así, mis aliados y yo partimos en busca de las respuestas que nos llevarán a enfrentar a nuestro adversario desconocido y devolver la esperanza al mundo al borde de la oscuridad eterna.

Después de un intento fallido de encender el sol artificial, me siento con mis aliados en el laboratorio. Me invade un sentimiento de impotencia y confusión y necesito un momento para ordenar mis pensamientos. Pido un tiempo y salgo solo, intentando aclarar mis pensamientos.

Deambulo por las calles, perdido en mis pensamientos. Una decisión impulsiva me lleva al lugar más siniestro de la ciudad, la discoteca LightHouse. Siento que hay algo oscuro ahí, algo que podría ser útil en mi búsqueda. Decido cambiar mi apariencia y vestirme con ropa más atrevida, para mimetizarme con el ambiente del club nocturno.

Dentro del club, las luces danzantes crean sombras inquietantes. Bebo más de lo que debería, tratando de deshacerme de las preocupaciones que me atormentan. Mi intento de escapar termina mal cuando me peleo con otras chicas. La situación parece a punto de empeorar, pero un hombre apuesto, cuya mirada expresa misterio, me saca de la confusión.

Me aleja de la confusión y a pesar del revuelo que nos rodea, logramos hablar. Su nombre es Alex y su presencia parece traer algo de alivio a mi mente atormentada. Compartimos historias y risas, y la noche avanza a medida que fluye la conversación.

Cuando se acerca el amanecer, Alex se levanta y me extiende la mano. Juntos salimos del club y pasamos el resto de la noche en mi casa. Su compañía es tonificante y, al amanecer, se despide con una sonrisa enigmática, dejando una nota en mis manos.

Al leer la nota, mis cejas se levantan sorprendidas. "Disfruté la noche. Si buscas respuestas, están en el espacio de Las Vegas". Sus palabras resuenan en mi mente y mi corazón se acelera. ¿Sabe algo de lo que está pasando? ¿Podría ser una pista para desbloquear los secretos que me rodean?

Miro al cielo, a la zona de Las Vegas en el espacio, y siento que un rayo de esperanza se enciende en mi interior. Quizás haya más por descubrir allí arriba, donde brillan las estrellas y donde finalmente se puede disipar la oscuridad. Con determinación renovada, decido que la siguiente etapa de mi viaje me llevará al espacio, en busca de respuestas que puedan iluminar mi camino.

La búsqueda de Álex

Reúno a mis aliados para compartir los descubrimientos que hice durante la noche. Les hablo del misterioso hombre llamado Alex que me dijo que las respuestas están en el espacio de Las Vegas. Sin embargo, nos enfrentamos a un nuevo obstáculo: ¿cómo llegar allí? No tenemos una nave equipada con la tecnología para viajar a la velocidad de la luz.

Mientras reflexionamos sobre esta pregunta, me doy cuenta de que la respuesta puede estar relacionada con Alex. Parecía saber algo sobre el espacio de Las Vegas y tal vez sabía cómo llegar allí. Decido volver al club nocturno LightHouse con la esperanza de volver a encontrarlo.

Sin embargo, al llegar al club, me encuentro ante una escena sorprendente. La discoteca está cerrada y sumida en la oscuridad, pues alguien robó las baterías de energía que mantenían encendida la iluminación. Observo la oscuridad que envuelve el siniestro lugar, y una sospecha comienza a formarse en mi mente.

Alex podría estar involucrado en esto. Él es el vínculo entre la información que necesito y el robo de energía del club. Una teoría toma forma: ¿podría estar utilizando estas baterías de energía para sus propios fines? La ira y la determinación se mezclan cuando decido investigar más a fondo.

Hablo con una de las bailarinas del club y le pregunto si sabe dónde vive Alex. Ella revela que vive en una casa antigua en las afueras de la ciudad. Gracias por la información y me estoy preparando para ir allí.

Salí en busca de Alex, con el corazón lleno de incertidumbre y un atisbo de esperanza. ¿Podría ser la clave para descubrir los secretos y encontrar una manera de viajar a la constelación de Las Vegas? Mientras me alejo de la ciudad y me acerco a la casa donde supuestamente vive, siento el peso del destino sobre mis hombros, pero también una determinación inquebrantable de enfrentar lo desconocido y descubrir la verdad que se encuentra más allá de las estrellas.

Continúo mi búsqueda de Alex, siguiendo pistas a través de la oscuridad que parece envolver cada rincón de esta desolada ciudad. Después de innumerables intentos, finalmente vislumbro un rayo de luz brillando en la distancia. Mi corazón se llena de esperanza cuando me doy cuenta de que la fuente de la luz es un granero iluminado en la oscuridad.

Mi acercamiento es cauteloso cuando me acerco al granero. Sin embargo, mi precaución no es suficiente. El sonido de los disparos resuena en el aire y mis sentidos se ponen en alerta máxima. Reacciono por instinto, esquivando los disparos mientras la explosión hace eco a mi alrededor.

Miro en la dirección de los disparos e identifico a Alex sosteniendo un arma. Me mira con recelo, sin saber quién soy ni por qué me acerco a su casa. Mi mente se acelera mientras trato de encontrar una manera de comunicarme con él y evitar una confrontación fatal.

Decido contraatacar, pero con un enfoque diferente. Saco mi pistola paralizante, una de las tecnologías que traje conmigo, y apunto en dirección a Alex. El crujido eléctrico resuena en el aire cuando activo el arma y una descarga brillante atraviesa la oscuridad.

Alex es alcanzado por la electricidad y momentáneamente no puede reaccionar. Aprovecho para acercarme a él, dejándole claro que no deseo causarle un daño permanente. Sus ojos me miran fijamente, con una mezcla de sorpresa y desconfianza.

"No quiero hacerte daño", le digo con firmeza. "Estoy buscando respuestas. Necesito entender lo que está pasando y es posible que usted tenga la información que estoy buscando".

Alex recupera el aliento, todavía recuperándose del impacto de la descarga. Observo cómo baja el arma, pareciendo más dispuesto a escuchar que a luchar. Las palabras salen vacilantes, pero su expresión comienza a suavizarse.

"¿Quién eres tú?" pregunta con cautela.

"Mi nombre es Maya. Descubrí que quizás sepas algo sobre el espacio de Las Vegas y cómo llegar allí. Necesito respuestas, Alex. La oscuridad se está extendiendo y la luz del sol ha desaparecido. Necesito entender qué pasó y cómo puedo restaurar el luz."

La mirada de Alex oscila entre la desconfianza y la curiosidad. Parece que está debatiendo si compartir o no información conmigo. Mi mano todavía sostiene la pistola paralizante, lista para usarla nuevamente si es necesario, pero mi resolución es clara.

Nuestras miradas se encuentran en un momento de silencio, lleno de tensión e incertidumbre. Tenemos ante nosotros una opción: confrontación o colaboración. La respuesta de Alex podría ser la llave para abrir las puertas que me lleven a desbloquear los misterios del espacio de Las Vegas, la constelación que podría contener las respuestas que estoy buscando.

Calmar los ánimos

L as palabras de Alex resuenan en el aire, llenas de ironía. Parece sorprendido y tal vez incluso un poco decepcionado al encontrarme irrumpiendo en su casa después de salvarme la noche anterior.

"¿Oh, tú otra vez? ¿Te salvé en el club y así es como me lo agradeces? ¿Entrando en mi casa y dándome una descarga eléctrica?", dice, su tono mezcla sarcasmo con incredulidad.

Respiro hondo, consciente de que la situación es delicada. "Sé que suena extraño y tal vez un poco contradictorio, pero hay más en juego de lo que imaginas", respondo, tratando de encontrar el equilibrio entre explicación y justificación.

Me mira con los ojos todavía llenos de desconfianza. "Energía para recargar tus armas, ¿de dónde la sacas?"

"Son tecnologías avanzadas que llevo conmigo. Tienen fuentes de energía altamente eficientes que me permiten utilizarlas durante un largo período de tiempo", explico manteniendo la calma a pesar de la tensión que flota en el aire.

Alex se cruza de brazos, considerando mis palabras. "¿Entonces estás buscando respuestas? ¿La luz desaparecida y el espacio de Las Vegas?"

Asiento seriamente. "Exactamente. Las cosas se están volviendo más oscuras y peligrosas. Necesito entender qué pasó con el sol y cómo puedo restaurar la luz. Y la información que tienes podría ser la clave para eso".

Él permanece en silencio por un momento, sus expresiones son contradictorias. Finalmente, suspira y parece ceder un poco. "Entremos. Tenemos mucho de qué hablar".

Entramos en la casa, donde las sombras bailan en las paredes, haciéndose eco de los secretos que pueden estar a punto de revelarse. Alex parece dispuesto a compartir su historia, sus razones y tal vez incluso la información que me llevará a encontrar respuestas.

El destino puede ser irónico en sus giros y vueltas, y es posible que mis acciones hayan creado un encuentro improbable. Pero en la oscuridad que nos rodea, tal vez podamos encontrar la luz de las verdades ocultas y, juntos, descubrir un camino para enfrentar las sombras que amenazan con consumir nuestro mundo.

Aliados inesperados

Entramos en la casa de Alex, un lugar que ahora parece un santuario de misterios y revelaciones. Él comparte conmigo la razón detrás de los robos de baterías portátiles: una nave espacial extraterrestre que viaja a la velocidad de la luz. Alex confiesa que las baterías que robó no son suficientes para recargar el barco y hacerlo funcional.

Mis ojos se fijan en las armas eléctricas en mi cintura mientras él piensa en voz alta. De repente, se le ocurre una idea brillante y me mira con ojos llenos de entusiasmo. Sugiere que usemos la fuente de energía de mis armas para recargar la nave, una idea que me sorprende e intriga.

La idea tiene un atractivo innegable. Si mi tecnología armamentista puede usarse para recargar la nave, me acercará más a mi objetivo de llegar al espacio de Las Vegas. La posibilidad de encontrar respuestas y restaurar la luz del sol llena mi corazón de determinación.

"Estoy de acuerdo con la idea, Alex", digo con una mezcla de esperanza y resolución. "Si nos acerca a desbloquear los misterios y encontrar lo que buscamos, entonces vale la pena".

Él sonríe y parece aliviado de que haya aceptado su sugerencia. Combinamos nuestros conocimientos y habilidades, trabajando juntos para conectar el poder de mis armas a la nave alienígena. Cada hilo, cada conexión, es un paso hacia un destino que aún no está del todo claro, pero que ahora parece más tangible.

Después del arduo trabajo, Alex revela una botella de alcohol y brinda por nuestros esfuerzos. Compartimos historias, risas y, eventualmente, nuestros ojos se encuentran con un brillo diferente. A medida que avanza la noche, las barreras que nos separan empiezan a desaparecer y el deseo se transforma en algo más.

Nuestros cuerpos se unen con una pasión que arde más que cualquier fuego. La noche se convierte en una sinfonía de emociones y deseo, una conexión intensa e inesperada que trasciende las sombras que nos rodean.

Sin embargo, cuando llega la mañana, la realidad vuelve a imponerse. Alex, impulsado por algo que todavía no entiendo del todo, intenta escapar solo a Las Vegas. Mis instintos me alertan de lo que está sucediendo y mis acciones rápidas me permiten quitar la batería de la nave antes de que pueda encenderla.

Está perplejo y frustrado, mirando el barco inerte. Nuestros ojos se encuentran y me doy cuenta de que él se dio cuenta de que anticipé sus movimientos. La tensión flota en el aire mientras enfrentamos las consecuencias de lo sucedido.

Las sombras del pasado, el presente y el futuro continúan entrelazándose, y me pregunto cómo estos giros y vueltas afectarán el viaje que tenemos por delante. El misterio y la incertidumbre aún abundan, pero una cosa es segura: mi búsqueda de respuestas y de luz solar está lejos de terminar.

Un silencio tenso llena el aire después del incidente del barco. Las palabras pronunciadas con frustración y desconfianza flotan entre nosotros, creando un abismo momentáneo. Finalmente, suspiro, sintiendo el peso de la situación y la necesidad de seguir adelante.

"Alex, sé que lo que pasó fue complicado, pero estamos aquí por la misma razón: para encontrar respuestas. Tal vez es hora de dejar atrás el pasado y centrarnos en lo que realmente importa", le digo con sinceridad, buscando una tregua entre nosotros. .

Me mira por un momento, sus ojos revelan una mezcla de emociones. Finalmente, asiente, como si estuviera de acuerdo con la lógica de mis palabras. "Tienes razón. Lo que pasó ya no se puede cambiar. Centrémonos en lo que podemos hacer ahora".

Doy un suspiro de alivio, sintiendo como si me hubieran quitado un peso de encima. Entonces le entrego la batería del barco a Alex. "Ponlo en su lugar y intentémoslo una vez más. Después de todo, tenemos que seguir adelante y llegar al espacio de Las Vegas".

Acepta la batería y, con un movimiento decidido, la coloca en el lugar designado. El barco brilla con vida, lo que demuestra que la energía fluye y el plan está funcionando. Con una mirada decidida, tomo el control y pongo en marcha la nave espacial.

El suave sonido de los motores llena el aire, haciendo eco de la promesa de un nuevo viaje. A medida que el barco comienza a ascender, siento una mezcla de emociones: entusiasmo por lo que está por venir, curiosidad por lo que descubriré e incluso una punzada de melancolía por dejar atrás a Alex.

La imagen de ella menguándose en el horizonte es un recordatorio constante de que los caminos pueden divergir, pero nuestras elecciones nos llevan a destinos inesperados. A medida que el barco gana velocidad y se aleja, yo avanzo, afrontando lo desconocido con valentía y determinación.

El viaje hacia el espacio de Las Vegas es una búsqueda de verdades ocultas, una revelación de misterios que podrían cambiar el curso de nuestro mundo. Y aunque los vientos del destino puedan ser impredecibles, mi determinación de encontrar respuestas sigue siendo inquebrantable.

Conexiones inesperadas

El espacio se extiende ante mí, una vasta extensión de misterios y posibilidades. Con el corazón acelerado, intento activar la propulsión de la nave para dar el salto a la velocidad de la luz y llegar finalmente al espacio Vegas. Sin embargo, mi entusiasmo pronto es reemplazado por frustración cuando me doy cuenta de que el sistema no responde.

Confundido, lo intento de nuevo, pero el resultado es el mismo: la propulsión permanece inactiva. Mis manos se aprietan alrededor de los controles y mi mente comienza a trabajar rápidamente para comprender qué salió mal. ¿Le pasó algo al barco mientras se recargaba? ¿O hay algún problema técnico que no puedo identificar?

Mi frustración crece cuando noto un ícono en la pantalla que no había notado antes. Un icono que representa una firma digital necesaria para activar la propulsión. Una firma que no es mía.

La verdad me golpea como un puñetazo en el estómago. Alex anticipó que lo dejaría atrás y tomó precauciones. Insertó su firma digital en la nave, convirtiéndose en el único capaz de activar la propulsión. Una medida de seguridad que no preví, una elección que ahora me deja incapaz de dar el salto a la velocidad de la luz a Las Vegas.

La ira me envuelve mientras grito de frustración. Alex, una vez más, se interpone en mi camino. Me siento impotente ante la situación, atrapado en un callejón sin salida que yo mismo creé. Mi determinación me impulsa, pero sé que no puedo hacer nada más que regresar a la Tierra en busca de él.

Me trago mi frustración y me doy la vuelta, iniciando el regreso a la Tierra. Con cada segundo que pasa, mi mente se concentra en el siguiente tramo del viaje. Encuentra a Alex, enfrenta las complejidades de nuestra relación y convéncelo para que active el impulso. Mi búsqueda de respuestas y de sol está lejos de terminar y estoy dispuesto a superar cualquier obstáculo que se me presente.

La nave desciende a través de la atmósfera terrestre y el regreso a la Tierra marca el comienzo de una nueva fase en mi viaje. A medida que la superficie se acerca, mi mente trabaja en un plan. Necesito encontrar a Alex, convencerlo de que me ayude y finalmente dar el salto al espacio de Las Vegas.

El barco aterriza con una suave sacudida y salgo apresuradamente. El lugar me resulta familiar, una ciudad que conozco bien, pero ahora parece diferente después de todo lo sucedido. Mis piernas me llevan hacia la antigua casa de Alex, donde nuestros caminos se cruzan de maneras inesperadas.

Los pasos se determinan a medida que me acerco a la casa iluminada. Las sombras de la noche me envuelven y una sensación de urgencia me impulsa hacia adelante. Toco la puerta y espero, mi corazón late con fuerza mientras la incertidumbre flota en el aire.

La puerta se abre y los ojos de Alex se encuentran con los míos. La tensión es palpable, el silencio entre nosotros casi ensordecedor. No sé por dónde empezar, pero sé que necesito hacer esto.

"Alex, tenemos que hablar", digo con firmeza, mi voz llena de sinceridad.

Me mira y sus ojos transmiten una mezcla de emociones: sorpresa, ira y tal vez algo más profundo. Suspira, luciendo cansado, y finalmente se hace a un lado, invitándome a entrar.

La casa está a oscuras, pero la luz de la luna entra por las ventanas, creando una atmósfera lúgubre. Nos sentamos, el silencio aún pesaba entre nosotros.

"Maya, ¿qué quieres?" pregunta, con la voz llena de resentimiento.

Respiro profundamente y me armo de valor. "Necesito tu ayuda. Necesito que actives la propulsión de la nave para que podamos hacer que la velocidad de la luz salte al espacio de Las Vegas".

Me mira con incredulidad. "¿Por qué haría eso? ¿Después de todo lo que pasó?"

Lo miro y mis ojos reflejan la determinación que arde dentro de mí. "Porque no tenemos otra opción, Alex. Las respuestas que buscamos están ahí y estoy dispuesto a superar nuestras diferencias para encontrarlas".

Él permanece en silencio por un momento, con sus ojos fijos en los míos. Finalmente, suspira, pareciendo derrotado. "No puedo creer que esté haciendo esto, pero si esto es lo que nos llevará a alguna parte, activaré la propulsión".

Una sensación de alivio me invade, mezclada con gratitud. "Gracias, Alex. Sé que no es fácil, pero estamos juntos en esto".

Él asiente y puedo ver la lucha en sus ojos. Los secretos que esconde, las motivaciones que le llevaron a actuar como lo hizo. Nuestro viaje está lejos de terminar y, a medida que nos enfrentamos a lo desconocido, sé que nuestros destinos están entrelazados de maneras que aún no comprendemos del todo.

Salto de tiempo

La sensación es extraña, casi como flotar en un sueño. Dentro de la cápsula de hibernación, mi conciencia se siente distante, como si estuviera suspendida entre el pasado y el presente. A mi lado, Alex también descansa en su estado de hibernación, ambos protegidos de los efectos del tiempo que se desarrolla fuera de la nave.

Siento una vibración recorrer la nave, un suave zumbido que resuena en todo mi cuerpo. La propulsión se ha activado y ahora nos dirigimos al espacio de Las Vegas, donde nos esperan las respuestas que buscamos. Sin embargo, el viaje no es tan sencillo como parece.

La nave se desliza silenciosamente a través del vacío del espacio, las estrellas brillan como puntos de luz en medio de la oscuridad. Pero algo no está bien. Siento una turbulencia, una sensación de dislocación que no puedo ignorar.

De repente, el barco se sacude violentamente. Mis manos se aprietan alrededor de los controles de la cápsula de hibernación, mi corazón late rápidamente en mi pecho. Miro los monitores frente a mí, buscando respuestas.

Se ha activado el piloto automático, pero no es eso lo que nos guía ahora. Una tormenta cósmica se desarrolla a nuestro alrededor, una danza de partículas y energías que amenaza con engullirnos. Siento un escalofrío recorriendo mi espalda cuando me doy cuenta de que estamos perdiendo el control.

"¡Alex!" Grito desesperado, pero él permanece dormido en su cápsula de hibernación, ajeno al peligro inminente.

El barco es empujado y su rumbo alterado por la fuerza de la tormenta. Y entonces, como una pesadilla hecha realidad, la oscuridad se intensifica. Un agujero negro se cierne ante nosotros, un vórtice implacable que amenaza con tragarnos.

El tiempo parece ralentizarse a medida que somos arrastrados hacia el agujero negro. Mi mente grita, mi cuerpo se tensa mientras el barco es tragado por una oscuridad abrumadora. La sensación es indescriptible, una mezcla de terror y fascinación que me envuelve.

Y luego, el vacío.

Cuando me despierto, la sensación es de confusión y desorientación. Mi mente intenta adaptarse a la realidad que me rodea. Las luces del barco parpadean, los monitores parpadean frenéticamente y la sensación de que algo ha cambiado se extiende por todo mi cuerpo.

Salgo de la cápsula de hibernación y mis ojos buscan frenéticamente a Alex. Él también se despierta y sus ojos se encuentran con los míos en una mezcla de sorpresa y shock.

"¿Qué sucedió?" Pregunto, mi voz vacilante.

Alex mira los monitores y respira profundamente. "Parece que la tormenta cósmica y el agujero negro han alterado nuestro curso... y nuestro clima".

Mi mente lucha por entender. "¿Qué quieres decir?"

Señala los monitores y veo la información que muestran. La fecha que se suponía marcaría nuestra llegada a Las Vegas no tiene sentido. Han pasado 200 años desde que nos fuimos.

Me invade el shock y un sentimiento de incredulidad me invade. El tiempo se distorsionó, una realidad alternativa se desarrolló ante nosotros. La realidad que nos encontremos en Las Vegas puede ser completamente diferente a la que esperábamos.

Con el corazón acelerado, miro por la ventanilla del barco las estrellas que brillan en el horizonte lejano. ¿Qué nos espera en este nuevo mundo? ¿Qué secretos y desafíos nos esperan? El salto en el tiempo nos lanzó a un viaje desconocido, donde la verdad puede ser más compleja de lo que jamás imaginamos.

La vista de Vegas, la estrella más brillante de la constelación de Lyra, es magnífica cuando entramos en la órbita de un exoplaneta. Sus luces brillan en el espacio, formando un espectáculo deslumbrante que parece iluminar la oscuridad que nos rodea.

A mi lado, Alex suspira y comienza a explicar la complejidad de lo sucedido. "Maya, estamos en un punto del espacio donde el tiempo y el espacio se entrelazan de maneras que las ciencias de la Tierra aún no comprenden del todo. Viajar a velocidades superiores a la de la luz, como al activar el salto hiperespacial, nos lleva a dimensiones alternas que existen. más allá de los límites de nuestra realidad. En este lugar, las leyes de la física tal como las conocemos pueden distorsionarse, causando estas anomalías temporales".

Mi mente intenta absorber las palabras de Alex. "Entonces, ¿lo que estás diciendo es que no sólo viajamos a través del espacio, sino también a través de dimensiones alternativas?"

El asiente. "Exactamente. La activación del salto hiperespacial nos llevó a una realidad donde el tiempo transcurría de otra manera. Lo que para nosotros eran tres días, aquí fueron 200 años".

La magnitud de la revelación me golpea fuertemente. "200 años... todo cambió mientras estábamos en hibernación. ¿Y nosotros?"

Alex me mira con expresión seria. "Somos los forasteros en este mundo, Maya. Lo que encontremos aquí puede ser completamente diferente de la realidad que conocemos. Tenemos que estar preparados para enfrentar lo desconocido".

La idea me asusta, pero también siento una llama de determinación ardiendo dentro de mí. Estamos aquí por una razón y no nos rendiremos ahora.

Mientras la nave continúa orbitando el exoplaneta, Alex y yo comenzamos a idear un plan. ¿Qué hacemos a continuación? ¿Dónde encontraremos las respuestas que buscamos?

"Exploremos este exoplaneta", digo con firmeza. "¿Quién sabe qué podríamos descubrir aquí? Puede que haya pistas, información que nos lleve a lo que necesitamos".

Alex está de acuerdo y juntos activamos los sistemas de navegación de la nave para realizar un descenso controlado al exoplaneta. Mientras la nave penetra en la atmósfera, miro por la ventana y veo el paisaje que se desarrolla ante nosotros. Tendremos que ser cautelosos, observar cada detalle y estar preparados para cualquier cosa.

El barco aterriza suavemente en un terreno desconocido. Sostengo el brazalete en mi brazo izquierdo y accedo al menú para elegir mis armas y el modo de batalla. Alex también se prepara, equipándose con sus tecnologías.

Cuando se abren las compuertas del barco, estamos listos para enfrentar el mundo que nos espera. El viaje a Las Vegas nos llevó a esta realidad alternativa, donde el tiempo y el espacio se entrelazan de formas incomprensibles. Lo que encontramos aquí podría ser la clave para descubrir la verdad detrás de la oscuridad que ha envuelto nuestro sol.

Con pasos decididos, Alex y yo salimos del barco, listos para explorar un mundo desconocido, donde finalmente se pueden revelar sombras y secretos.

¡Bienvenidos a Las Vegas!

Mientras exploramos el suelo desconocido, nos sorprende una fuerza de vegasianos que nos rodea. Su brillante armadura y sus avanzadas tecnologías demuestran que no estamos ante un pueblo desprevenido. Rápidos como un pensamiento, somos capturados y escoltados por los pasillos de una ciudad que se extiende bajo el resplandor de la estrella de Las Vegas.

Ante el Consejo de Sabios de Las Vegas, somos interrogados intensamente. Hombres y mujeres de mirada penetrante y rostros enigmáticos nos observan mientras respondemos a sus preguntas. Explico nuestro origen, nuestro propósito y nuestra búsqueda de la verdad que pueda salvar la Tierra.

"No eres uno de nosotros, pero tampoco eres nuestro enemigo", declara uno de los Sabios, su voz resuena con profunda sabiduría. "Sin embargo, interferir con las fuerzas del tiempo y el espacio es algo que no podemos ignorar".

Alex y yo intercambiamos una mirada nerviosa. La situación es tensa, pero no podemos dar marcha atrás ahora.

"Venimos de un mundo donde nuestra realidad se ha visto afectada por una oscuridad inexplicable, donde el sol ha perdido su luz y el equilibrio de los elementos se ha alterado", explico, buscando transmitir nuestra urgencia. "Creemos que la clave para restaurar nuestro mundo puede estar en desbloquear los secretos de esta dimensión alternativa".

Los Sabios intercambian miradas y, finalmente, habla el líder del consejo. "Sus palabras nos traen preocupación y reflexión. La manipulación de las fuerzas cósmicas es un asunto serio y complejo. Dado que usted demuestra conocimiento de realidades paralelas, creemos que puede estar conectado con aquello que ha sido profetizado durante mucho tiempo en nuestros registros antiguos".

Estoy perplejo por tus palabras. "¿Profetizado? ¿A qué estamos conectados exactamente?"

El Sabio nos mira fijamente y sus ojos parecen penetrar nuestras almas. "Existe una leyenda en nuestra cultura, sobre la llegada de extraterrestres de otras realidades, portadores de una llama que puede devolver la luz y el equilibrio a nuestro mundo. Vosotros podéis ser los portadores de esa llama".

Las palabras del Sabio resuenan en mi mente. La idea de que somos parte de una antigua profecía es desconcertante, pero también parece encajar en las piezas de este rompecabezas cósmico.

"Si están dispuestos a ayudar, deben pasar una prueba de valor y sabiduría", declara el Sabio. "Sólo entonces podremos determinar si ustedes son realmente los portadores de la llama que nuestra cultura ha esperado durante tanto tiempo".

Alex y yo volvimos a intercambiar miradas. Si esta prueba es la forma de obtener las respuestas que buscamos, entonces estamos dispuestos a afrontarla. Ante el Consejo de Sabios de Las Vegas, nos preparamos para demostrar nuestra determinación y nuestra voluntad de hacer lo que sea necesario para restaurar la luz en nuestro mundo, sea cual sea la dimensión en la que nos encontremos ahora.

El Consejo de Sabios nos lleva a una sala majestuosa, adornada con símbolos místicos que hacen eco de la antigua sabiduría de Las Vegas. Ante nosotros se materializa una proyección holográfica que muestra escenas que parecen provenir de tiempos antiguos y futuros lejanos.

"Deberéis afrontar tres pruebas cósmicas para demostrar vuestra valía como portadores de la llama", anuncia el líder del consejo. "Cada prueba pondrá a prueba tu coraje, inteligencia y comprensión de las fuerzas que gobiernan el universo".

La primera prueba nos lleva a un escenario lleno de constelaciones danzantes. Se nos ordena descifrar patrones estelares y encontrar un camino a través de la inmensidad del espacio. Con cada golpe, la proyección brilla con una luz intensa, como si la propia constelación nos respondiera. A medida que avanzamos, nos inunda el conocimiento cósmico, entendiendo las relaciones entre las estrellas y sus influencias en diferentes realidades.

La segunda prueba nos transporta a un paisaje desértico, donde un estanque reflectante se extiende hasta el horizonte. El desafío aquí es encontrar nuestro reflejo en una realidad reflejada, mientras las sombras y las ilusiones intentan engañarnos. Aprendemos a confiar en nuestros instintos y notamos los matices sutiles que nos revelan la verdad. La proyección responde a nuestra astucia, y cada etapa exitosa nos acerca a la comprensión de la dualidad del tiempo y el espacio.

La tercera y última prueba nos lleva a un escenario donde el pasado, el presente y el futuro chocan. Tenemos el desafío de discernir entre las diferentes líneas de tiempo que se entrelazan ante nosotros. Nos enfrentamos a nuestras propias decisiones y a cómo repercuten en todas las realidades. La proyección tiembla, reflejando nuestra comprensión de las ramificaciones cósmicas.

Al completar las pruebas, nos llevan de regreso al Consejo de Sabios. El líder del consejo sonríe y parece satisfecho.

"Habéis demostrado coraje y comprensión de las fuerzas del universo. Parece que sois verdaderamente los portadores de la llama que nuestra cultura ha estado esperando".

"¿Que significa eso?" Pregunto, ansioso por respuestas.

"Significa que tienes nuestra bendición para buscar la verdad que deseas", responde el líder. "Y más que eso, significa que estás conectado a un destino que trasciende las barreras del tiempo y las dimensiones".

Una vez completadas nuestras pruebas y la bendición de los Sabios, sentimos un renovado sentido de propósito. Ahora, estamos más cerca que nunca de descubrir los secretos que pueden devolver la luz a nuestro mundo y aportar equilibrio a realidades entrelazadas. Y así, con el conocimiento cósmico adquirido y la promesa de un destino entrelazado con las estrellas, continuamos nuestro viaje hacia la verdad que nos espera en las profundidades del espacio de Las Vegas.

Guiados por las instrucciones de los Sabios de Las Vegas, Alex y yo nos preparamos para embarcarnos en la siguiente etapa del viaje. Nuestra nave, ahora debidamente equipada con la información adquirida, está lista para explorar el vasto espacio de Las Vegas y buscar los elementos necesarios para reavivar la llama de nuestro sol mecanizado.

En el espacio de Las Vegas, las estrellas parecen más brillantes y vibrantes de lo que nunca las hemos visto. Cada constelación cuenta una historia única y, a medida que nos movemos entre ellas, sentimos una profunda conexión con el cosmos. Nos encontramos con planetas exóticos y lunas misteriosas, todos con sus propias energías y secretos.

Nuestra búsqueda nos lleva a un planeta cubierto de cristales luminosos, cuyas energías pueden ser la clave para reactivar el sol mecanizado. Descendemos a la superficie y exploramos cuevas brillantes, donde la luz se refracta en una infinidad de colores. Alex usa sus habilidades científicas para analizar los cristales, mientras yo siento la energía cósmica que emana de ellos.

Mientras buscamos los cristales necesarios, comenzamos a sentir una presencia desconocida mirándonos. Nos damos cuenta de que no estamos solos en este planeta. La energía que nos rodea se vuelve más intensa, como si algo se acercara.

De repente, nos vemos rodeados de figuras etéreas, seres que parecen estar hechos de luces y sombras. Nos hablan en un idioma antiguo, resonando en lo más profundo de nuestra mente. Entendemos que son los Guardianes del Cosmos, entidades ancestrales que velan por las energías cósmicas de Vegas.

Los Guardianes nos ponen a prueba, evaluando nuestra intención y propósito. Mostramos nuestra determinación de traer equilibrio al universo y restaurar la luz perdida. Parecen satisfechos con nuestras respuestas y comparten su sabiduría con nosotros.

Con el conocimiento de los Guardianes aprendimos a sintetizar las energías de los cristales luminosos para reactivar el sol mecanizado. Instalamos un dispositivo especial capaz de capturar y concentrar las energías cósmicas de Vegas. Mientras el dispositivo se carga, nos envuelve una luz intensa que parece conectar todas las estrellas del cosmos.

Cuando el dispositivo esté listo, lo apuntamos al cielo nocturno de Las Vegas y activamos la liberación de energías concentradas. El espectáculo es magnífico, con rayos de luz cósmica esparciéndose por el espacio. En el horizonte, la estrella de Las Vegas comienza a brillar con más intensidad, como si resonara con las energías que liberamos.

Agradecemos a los Guardianes por su ayuda y nos despedimos del planeta luminoso. Ahora estamos más cerca que nunca de cumplir nuestra misión y devolver la luz a nuestro mundo. Con las energías cósmicas de Las Vegas de nuestro lado, enfrentamos lo desconocido con esperanza y determinación, listos para desentrañar el destino entrelazado que nos espera.

Conexiones dimensionales

Mientras nos maravillamos ante el espectáculo de las energías cósmicas de Las Vegas, una preocupación comienza a formarse en mi mente. Si nos tomó 200 años llegar a Las Vegas en esta realidad, ¿quién puede decir que la Tierra que dejamos atrás es la misma que conocimos?

Comparto mis preocupaciones con Alex y él también parece acosado por las mismas dudas. Ambos nos preguntamos si al regresar a la Tierra nos encontraríamos con una realidad completamente diferente, donde nuestros actos tuvieran consecuencias inimaginables.

Decidimos consultar una vez más a los Guardianes del Cosmos en busca de respuestas. Planteamos nuestras preguntas en silencio, y los seres de luz responden con imágenes y sensaciones transmitidas directamente a nuestra mente.

Nos damos cuenta de que la realidad es una intrincada red de posibilidades, donde cada acción genera ramificaciones en varias dimensiones. Nuestro viaje por el hiperespacio nos llevó no sólo a través del tiempo, sino también a través de diferentes realidades. La tormenta cósmica y el agujero negro nos arrojaron a un punto de bifurcación, donde nuestros destinos estaban separados de las líneas de tiempo conocidas.

Los Guardianes nos informan que la Tierra que dejamos atrás se encuentra en una realidad paralela y que nuestro regreso podría llevarnos a una realidad completamente nueva. Nos aseguran que las conexiones entre dimensiones son complejas y que nuestro propósito de devolver la luz a nuestra realidad original sigue siendo válido.

Con esta nueva comprensión, nuestros corazones se llenan de una determinación renovada. Sabemos que el viaje de regreso a la Tierra estará lleno de desafíos, pero estamos dispuestos a afrontarlos, sin importar lo que nos espere. Nos despedimos de los Guardianes del Cosmos y regresamos a la nave, listos para enfrentar lo desconocido y encontrar respuestas, no sólo para nuestro mundo, sino también para la red interdimensional en la que ahora estamos entrelazados.

Propulsión inversa

A ntes de despedirse del sistema Vegas, los Guardianes nos confían que el camino para regresar a nuestra realidad requiere una nave equipada con tecnología avanzada de regresión espacio-temporal. Esto significa que para llegar a nuestro mundo original, la única opción viable sería regresar al Consejo de Sabios de Las Vegas. Allí tendríamos que presentar nuestra solicitud de autorización para adquirir un barco con propulsión inversa, una máquina capaz de desafiar el paso del tiempo y guiarnos de regreso al punto de partida.

Con la nueva comprensión de que nuestras realidades están intrincadamente conectadas, centramos nuestros pensamientos en lo que debemos hacer a continuación. La información que recibimos de los Guardianes del Cosmos es crucial: para volver a nuestra realidad original, necesitamos tecnología que nos permita invertir el tiempo y el espacio.

Hemos decidido que el siguiente paso es regresar al Consejo de Sabios de Las Vegas y solicitar autorización para obtener una nave con esta tecnología de propulsión inversa. Sabemos que no será una tarea fácil convencer al Consejo, pero es nuestra única esperanza de restaurar la luz en nuestro mundo y encontrar un camino de regreso a la Tierra que conocemos.

Después de una breve preparación, aterrizamos nuevamente en Las Vegas y nos llevan ante el Consejo de Sabios. Explicamos nuestra situación, compartimos la información que recibimos de los Guardianes del Cosmos y hacemos un emotivo pedido de autorización para obtener la tecnología necesaria.

El Consejo nos escucha atentamente y la sala queda en silencio mientras debaten entre ellos. Finalmente, el líder del Consejo se levanta y habla: "Usted ha sido elegido para desempeñar un papel crucial en esta red de realidades interconectadas. El equilibrio entre dimensiones es frágil y sus acciones pueden moldear los destinos de muchos".

Después de una pausa, continúa: "Hemos autorizado el suministro de tecnología de propulsión inversa para su barco. Pero sepa que este viaje es peligroso e incierto. Debe estar preparado para afrontar los desafíos que encontrará. Sólo con una determinación inquebrantable y una comprensión de la interconexión de todas las cosas tendrás éxito."

Agradecimos al Consejo la autorización y nos propusimos obtener la tecnología necesaria. El viaje será difícil, pero estamos más decididos que nunca. Sabemos que la búsqueda de la luz no es sólo una búsqueda de nuestra realidad original, sino una búsqueda de mantener el equilibrio entre todas las dimensiones y salvar todos los mundos interconectados por la red cósmica.

Con la autorización del Consejo de Sabios en mano, nuestro siguiente paso es encontrar una manera de obtener tecnología de propulsión inversa para nuestra nave. Sabemos que este no será un proceso sencillo, ya que la tecnología es muy avanzada y requiere conocimientos especializados para su implementación.

Regresamos a nuestro barco, ahora con una nueva sensación de determinación. Ponemos en orden nuestros planes, con el mismo objetivo: restablecer el equilibrio y encontrar el camino de regreso a casa.

Alex, quien me acompañó en esta búsqueda, se ofrece a ayudarme a encontrar expertos en tecnología de propulsión inversa. Conoce a un descendiente de alguien en Las Vegas que puede guiarnos en este viaje, alguien que tiene el conocimiento necesario para implementar esta tecnología avanzada en nuestro barco.

Encontramos al experto, un científico brillante llamado Dr. Kellan, que está dispuesto a ayudarnos. Explica que la tecnología de propulsión inversa es compleja y delicada, pero que, con la autorización del Consejo de Sabios, podrá obtener los recursos necesarios para llevar a cabo las modificaciones de nuestra nave.

Los días pasan mientras el Dr. Kellan y su equipo trabajan incansablemente para instalar la tecnología. Aprendemos sobre las intrincadas teorías del viaje en el tiempo y los desafíos que enfrentaremos al cruzar los límites del espacio-tiempo. La tensión es palpable, pero todos compartimos la creencia de que ésta es la única manera de corregir las distorsiones provocadas por nuestro viaje a través de las dimensiones.

Finalmente, el trabajo se completó y nuestro barco ahora está equipado con tecnología de propulsión inversa. El Dr. Kellan nos da sus últimas palabras de aliento, recordándonos que este viaje no es sólo físico, sino también espiritual. Nos advierte sobre los desafíos que enfrentaremos, las decisiones difíciles que tendremos que tomar y la importancia de mantener nuestra determinación y comprensión del tejido cósmico que nos conecta con todas las realidades.

Con el barco listo y el corazón lleno de esperanza, nos preparamos para otra etapa de nuestro viaje. Sabemos que el camino que tenemos por delante estará lleno de obstáculos y giros, pero estamos listos para afrontarlos en busca de la luz que restaurará nuestra realidad y el orden cósmico que une todas las cosas.

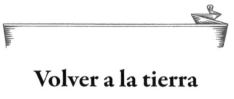

Volver a la tierra

El regreso a nuestra realidad se espera con una mezcla de esperanza y temor. Con la nave equipada con tecnología de propulsión inversa, nos preparamos para atravesar el espacio-tiempo una vez más. El viaje es intenso y desafiante y, a medida que las dimensiones se entrelazan, quedamos envueltos en una luz brillante que parece tejer los hilos de la realidad.

A medida que nos acercamos a la Tierra, algo extraño empieza a suceder. El cielo se oscurece y las estrellas parecen flaquear. La atmósfera de la Tierra vibra con una energía extraña y una sensación de inquietud nos invade. Maya observa con creciente alarma cómo la oscuridad parece extenderse como una mancha borrosa por el horizonte.

Nada más aterrizar, la realidad se despliega ante nuestros ojos. La Tierra, alguna vez tan familiar, parece oscura y distorsionada. Los paisajes que conocíamos están cubiertos de una densa y siniestra oscuridad. El sol, que debería brillar en el cielo, es sólo un recuerdo lejano.

Maya siente una opresión en el corazón, una angustia profunda e inexplicable. Mientras caminamos por esta tierra oscura, los recuerdos comienzan a fusionarse con la verdad. Los recuerdos de nuestro viaje a través de las dimensiones se entrelazan con la dura realidad que enfrentamos ahora.

Alex finalmente se acerca a Maya y la mira a los ojos, compartiendo la misma oscura comprensión. Revela la verdad que ambos habían ignorado hasta ahora: al activar la propulsión inversa, alteraron el orden cósmico, liberando energías concentradas que retrocedieron en el tiempo, destruyendo la luz del sol y hundiendo a la Tierra en la oscuridad.

Maya se siente abrumada por una mezcla de culpa, conmoción y desesperación. Ella y Alex fueron los catalizadores de la destrucción que devastó su mundo y ahora deben afrontar las consecuencias de sus acciones. El peso de la responsabilidad es abrumador y Maya siente que tiene que soportar el peso de toda su existencia.

Mientras Maya lucha por procesar esta impactante verdad, una voz susurra en su mente. Es la misma voz que la ha guiado desde el principio, una voz que parece conocer los secretos del cosmos. La voz habla de equilibrio y redención, de encontrar una manera de restaurar el orden y devolver la luz al mundo.

Maya se da cuenta de que, aunque sus acciones desencadenaron esta catástrofe, también tiene el poder de corregir su error. La búsqueda de la verdad y la restauración del equilibrio se convierte ahora en su objetivo final. Maya, con determinación renovada, mira hacia el cielo oscuro y promete que hará todo lo que esté en su poder para recuperar la luz, incluso si eso significa enfrentar el mismo destino que ella desencadenó sin darse cuenta.

Por los caminos del tiempo

Regreso a la cabaña y observo las llamas bailar en la chimenea. Esas palabras de la voz todavía resuenan en mi mente, recordándome mis viajes a través de las dimensiones y las verdades que descubrí.

Entro a la cabaña y mi padre me saluda con una cálida sonrisa. Me abraza con cariño, sin saber lo que me depara el futuro. Lucho por encontrar las palabras adecuadas mientras la voz me guía una vez más.

¿Le revelo la verdad a mi padre sobre la destrucción de la luz del sol, la tormenta cósmica, el viaje a Las Vegas y todo lo que ha sucedido desde entonces? ¿Me escuchará atentamente y mostrará comprensión?

Alex, el aliado que se convirtió en parte de este viaje, me advierte sobre los peligros de provocar una paradoja temporal al interactuar con mi propio pasado. Me recuerda que cualquier cambio significativo en el pasado puede tener repercusiones impredecibles y afectar todo el curso de la historia.

Me enfrento a una decisión difícil: corregir el mal que Alex y yo causamos, o seguir la guía de Alex y evitar causar más daño. Miro a mi padre, la figura que siempre me ha guiado, y me doy cuenta de que la verdadera solución no está sólo en el pasado, sino en el presente y el futuro.

Decido revelarle la verdad a mi padre, no para cambiar el pasado, sino para moldear el futuro. Mi padre me apoya, entendiendo que el equilibrio de los elementos es vital para la supervivencia de todos. Juntos, comenzamos a buscar una manera de reparar el daño causado, mientras Alex nos observa con una expresión mixta de preocupación y esperanza.

Mi viaje aún no ha terminado. Enfrentaré mayores desafíos de los que jamás imaginé, pero mi determinación es inquebrantable. Aprendí que el tiempo es un laberinto complejo y delicado, y que cada elección que hacemos tiene consecuencias. Ahora, con el apoyo de mi padre y la sabiduría que he adquirido, estoy decidido a encontrar el camino para restaurar la luz y devolver el equilibrio a los elementos, no sólo en mi propia realidad, sino en todos los universos que comparten el tejido del universo Espacio tiempo.

Mientras me quedaba en la cabaña con mi padre, tratando de asimilar todas las revelaciones que tenía, Alex se propuso un nuevo propósito. Decidió utilizar el conocimiento adquirido en nuestro viaje para ofrecer esperanza a la humanidad. Era hora de enfrentarse a los gobiernos de la Tierra y presentar una alternativa viable.

Los gobiernos, aún buscando soluciones ante la oscuridad que se apoderaba del cielo, escucharon atentamente las palabras de Alex. Explicó la existencia del exoplaneta en el sistema Vegas, un lugar donde la luz brilla intensamente y donde la vida podría encontrar un nuevo comienzo.

La noticia se extendió como fuego rápido y la humanidad encontró una chispa de esperanza. Fue un vistazo a un nuevo hogar, una segunda oportunidad en medio de la oscuridad. Alex propuso el plan de buscar el exoplaneta, para encontrar una manera de transportar a la humanidad allí, lejos de la destrucción que se cernía sobre la Tierra.

Mientras los líderes mundiales discutían los detalles y los desafíos que enfrentarían, compartí con mi padre la información que me dio la voz sobre la solución para restaurar la luz solar. Escuchó atentamente, combinando sus propios descubrimientos con los míos para crear un plan que abarcaba no sólo la supervivencia de la humanidad sino también el equilibrio de los elementos.

Mientras tanto, Alex regresó a la cabina y compartió las noticias sobre el exoplaneta y los esfuerzos por encontrar un nuevo hogar para la humanidad. Juntos, los tres entendimos que el futuro dependía de la cooperación, el intercambio de conocimientos y la determinación de superar nuestros desafíos más oscuros.

Con los gobiernos unidos en una causa común y la ciencia avanzando cada día, nuestra atención se centró ahora en dos frentes: restaurar la luz del sol y preparar un nuevo hogar para la humanidad. Sabíamos que los caminos que teníamos por delante estarían llenos de obstáculos, pero estábamos decididos a afrontarlos de frente.

En medio de la oscuridad, la esperanza empezó a brillar. Con la combinación de tecnología, sabiduría y el deseo de sobrevivir, estábamos a punto de embarcarnos en un viaje épico para dar forma a nuestro propio destino y devolver la luz a nuestros mundos. Y mientras nos preparábamos para enfrentar lo desconocido, miramos hacia el cielo nocturno, recordándonos que incluso en las profundidades de la oscuridad, siempre hay estrellas que brillan con la promesa de un nuevo mañana.

Un nuevo viaje

Con el deseo de brindar una oportunidad real a la humanidad, Alex y yo tomamos una decisión audaz. Sabíamos que la tecnología de propulsión que nos trajo atrás en el tiempo tenía el potencial de ser la clave para llevar a miles de personas al sistema de Las Vegas, donde se podría encontrar un nuevo hogar. Era hora de compartir esta tecnología con los gobiernos de la Tierra.

Unimos fuerzas con líderes mundiales y entregamos los secretos de la propulsión temporal. Una nueva era de exploración y esperanza comenzó a tomar forma. Las grandes naciones de la Tierra han aunado sus habilidades y recursos para construir enormes naves capaces de transportar a miles de personas a través del espacio y el tiempo.

Una vez más, el proyecto Génesis cobró vida. Se seleccionaron miles de personas para abordar estas naves, llevando consigo el legado de la humanidad y la determinación de encontrar un nuevo hogar en un exoplaneta en los confines del sistema Vegas. Y, como al principio, la historia se repitió, pero esta vez con una nueva perspectiva y un objetivo claro.

Mientras las naves partían hacia el exoplaneta, miré hacia el cielo nocturno con mi padre a mi lado. La oscuridad persistía, pero ahora había una chispa de esperanza que nunca antes había estado allí. Las estrellas brillaban como faros en la oscuridad, guiándonos hacia un futuro desconocido.

En el corazón de la oscuridad, la humanidad encontró el coraje para enfrentar lo desconocido y buscar una segunda oportunidad. La tecnología que alguna vez causó la destrucción de la luz solar ahora se estaba utilizando para crear un nuevo comienzo. Y a medida que las naves se alejaban de la Tierra hacia el exoplaneta, supe que nuestro viaje estaba lejos de terminar.

Nos enfrentamos a desafíos inimaginables, descubrimos secretos profundos y destapamos misterios cósmicos. Y a través de todo esto, aprendemos que incluso en las profundidades de la oscuridad, la esperanza y la determinación pueden brillar más que cualquier estrella en el cielo. Estábamos a punto de construir un nuevo futuro, no sólo para nosotros, sino para todas las generaciones venideras. Y así, con el espíritu de descubrimiento y la llama de la esperanza, nuestro viaje continuó hacia lo desconocido, hacia un destino que sólo el tiempo revelaría.

Después de compartir nuestros planes con los gobiernos de la Tierra, mi padre sintió la necesidad de regresar a casa y asegurarse de que mi versión de esta realidad estuviera bien. Lo vi irse, sabiendo que nuestro reencuentro era sólo cuestión de tiempo. Mientras se alejaba hacia la oscuridad, sentí una mezcla de emociones dentro de mí: esperanza, miedo, pero sobre todo, determinación.

Mientras mi padre se iba, yo me quedé en la cabaña con Alex. Los días transcurrieron en una calma que nos permitió finalmente respirar, relajarnos y sentir una conexión más profunda entre nosotros. La oscuridad del pasado parecía lejana y la luz de la esperanza brillaba en nuestros corazones.

Nuestras conversaciones se volvieron más personales, nuestras risas más genuinas. Y entonces, en una noche estrellada, nuestros sentimientos trascendieron las palabras. Fue una noche de amor, de compartir intimidad y sueños, de encontrar consuelo en los brazos del otro.

Pasaron los días y la serenidad de la cabaña nos envolvió. Era como si el tiempo se suspendiera, permitiéndonos saborear cada momento como si fuera un tesoro preciado. Y en medio de estos momentos, mi mente se centró en un único propósito: encontrar mi yo pasado.

Finalmente llegó el día en que decidí visitar mi antiguo hogar. Me compré un abrigo negro con capucha para camuflarme en la oscuridad y acercarme sin que nadie me note. Una vez allí, observé en silencio mi versión del pasado, sin saber aún lo que estaba por venir.

Un torbellino de emociones recorrió mi ser mientras miraba a la chica que solía ser. Quería gritar, advertirle de los acontecimientos que se avecinaban, protegerla de decisiones que la llevarían a la destrucción. Pero sabía que cualquier interferencia podría crear paradojas inimaginables.

En cambio, me quedé allí, observando, recordando las lecciones que aprendí, las luchas que enfrenté y las decisiones que tomé. Saber que mi viaje tenía un propósito mayor, que estaba ayudando a construir un futuro mejor, me dio fuerzas.

Después de un rato, di un paso atrás, dejando la sombra de la casa y regresando al presente. El abrigo negro se fundió con la oscuridad cuando regresé a la cabaña, donde Alex me estaba esperando.

Frente a lo desconocido que aún se extendía ante nosotros, mantuve el recuerdo de esa chica del pasado en mi corazón. El pasado, el presente y el futuro estaban entrelazados de maneras que todavía no entendía del todo. Pero una cosa era segura: estábamos preparados para afrontar lo que viniera, juntos, con esperanza y determinación.

Sombras de conspiración

Mientras yo visitaba en silencio mi versión del pasado, Alex estaba ocupado formando un grupo llamado Las Sombras de la Conspiración. Compartió nuestro viaje, desde el momento en que nos conocimos hasta los giros y vueltas que enfrentamos. Mi presencia no fue ninguna sorpresa para él; después de todo, él sabía que ésta era una parte crucial de nuestro destino.

Me enteré de esto cuando regresé a la cabaña y encontré a Alex hablando con otros miembros de Conspiracy Shadows. Allí estaba el rostro de Alex, mi compañero de viaje, entre rostros decididos y miradas comprometidas con la causa que lideraba.

Se acercó a mí y me explicó su decisión. La idea de utilizar nuestra historia como catalizador del cambio era intrigante. Sabíamos que al compartir nuestras experiencias podríamos inspirar a otros a cuestionar, desafiar el status quo y luchar por un futuro mejor.

"Maya, lo que hemos vivido, lo que hemos aprendido, esto puede ser una luz para aquellos que están perdidos en la oscuridad de las conspiraciones y las incertidumbres", dijo con una mirada seria, pero llena de determinación.

Mientras observaba a Alex entre los miembros del grupo, sentí una extraña sensación de conexión. Sabía lo que le esperaba a mi yo pasado, el peso de las decisiones que ella tendría que tomar. Y ahora, a través de las acciones de Alex y las Sombras de la Conspiración, él estaba guiando su viaje de maneras que nunca hubiera imaginado.

Nuestros ojos se encontraron, la intensidad de sus palabras resonaron en mí. Asentí, una mezcla de emociones llenó mi pecho. Nuestro viaje estaba lejos de terminar. Con la creación de Shadows of Conspiracy, brillamos nueva luz en la oscuridad, guiando a aquellos que necesitaban encontrar su propio camino.

Mientras observaba a Alex, mi compañero de viaje y guardián de los secretos del tiempo, supe que tenía razón. La versión pasada de mí estaba a punto de embarcarse en un camino de descubrimientos, desafíos y elecciones que darían forma al curso del futuro. Y esta vez, ella no estaba sola. Ella nos tenía a nosotros, las Sombras de la Conspiración, y un destino que estaba indisolublemente ligado al mío.

A medida que la Sombra de la Conspiración tomó forma, Alex estaba decidido a mantener nuestras identidades protegidas, envueltas en un velo de misterio. Distribuyó nombres en clave cuidadosamente elegidos a cada miembro del grupo, revelando una parte oculta de nosotros mismos, una faceta que antes estaba oculta en las sombras.

Fue en ese momento que supe qué nombre en clave Alex había elegido para mí: Black-fire. El nombre resonó en mi mente, trayendo una sensación de poder y misterio. Fue como si viera la llama ardiente que ardía dentro de mí, la pasión que me impulsaba a desafiar lo desconocido y luchar por lo que creía.

Black-fire se convirtió en la encarnación de mi fuerza interior, una conexión con el elemento que siempre me ha guiado, el fuego. Era como si Alex hubiera capturado mi esencia en dos simples palabras, creando un nombre que resonaba con la energía que llevaba.

Al adoptar el nombre en clave Black-fire, sentí una renovada sensación de propósito. Era más que sólo un nombre; fue un recordatorio constante de quién era yo y qué estaba dispuesto a hacer. Black-fire fue la fuerza que canalicé, el coraje que me impulsó a enfrentar los desafíos que se presentaron ante mí.

Cuando me uní a Alex y los demás miembros de Conspiracy Shadows, sentí que nos estábamos convirtiendo en algo más que simples individuos. Éramos un grupo unido por una causa común, por un objetivo que iba más allá de nosotros mismos. Y bajo los nombres en clave que elegimos, éramos las sombras que se movían en la oscuridad, buscando sacar la verdad a la luz.

El nombre Black-fire ahora representaba no sólo mi identidad, sino también nuestra unidad. Éramos las sombras que iluminaban el camino, que desafiaban las conspiraciones y que luchaban por un futuro en el que la luz brillara sobre la oscuridad. Y bajo este nuevo nombre, estaba preparado para afrontar los retos que estaban por venir.

La elección de Alex

Alex, el arquitecto de Las Sombras de la Conspiración, jugó un papel crucial en nuestro grupo, pero su postura fue diferente de lo que esperaba. Tenía conocimientos sobre los ciclos de los viajes en el tiempo, sobre los giros y vueltas que podía tomar la realidad. Sin embargo, no deseaba utilizar este conocimiento para atraparnos en un ciclo sin fin.

Reveló su decisión en una reunión silenciosa en lo más profundo de la noche, bajo un cielo estrellado. Mientras las sombras danzaban a nuestro alrededor, Alex explicó su perspectiva. No quería que yo, ni ninguno de nosotros, quedáramos atrapados en un ciclo de acontecimientos repetidos, perdiéndonos la oportunidad de vivir la vida plenamente.

"Maya", dijo con mirada determinada, "no podemos usar esta tecnología para manipular el tiempo para nuestro propio beneficio. Eso nos atraparía en un ciclo interminable y el costo sería demasiado alto. La libertad de elección es lo que nos diferencia". , lo que nos hace humanos."

Sus palabras resonaron en mi mente, haciéndome reflexionar sobre la naturaleza de la elección y la libertad. ¿Tenía razón? Manipular el tiempo podría tener consecuencias impredecibles y, al final, no seríamos más que marionetas en manos del destino.

Alex continuó: "Nuestro objetivo es sacar la verdad a la luz, afrontar los desafíos con valentía y afrontar las consecuencias de nuestras acciones. Debemos elegir el camino que conduzca al progreso, a la evolución y no quedarnos estancados en un ciclo estático".

Bajo la tenue luz de las estrellas, comprendí la profundidad de su decisión. Alex no solo estaba liderando un grupo, lo estaba haciendo con un propósito moral, una visión de un mundo donde las sombras podrían ser disipadas por la luz de la verdad.

"Es hora de que hagamos una diferencia en el presente, Maya", concluyó, mirándome directamente a los ojos. "Luchemos contra las sombras, saquemos a la luz los secretos ocultos e iluminemos el camino hacia un futuro mejor".

Y con estas palabras Alex dejó claro que nuestro propósito iba más allá de manipular el tiempo. Se trataba de desafiar al destino, elegir sabiamente acciones y construir un futuro que no estuviera atado a un ciclo interminable. Con esta nueva perspectiva, avanzamos, listos para enfrentar los desafíos que se presentarían y moldear nuestro propio destino.

Redes del destino

M ientras nosotros, las Sombras de la Conspiración, continuamos nuestros esfuerzos para sacar la verdad a la luz, se estaba jugando un juego más grande detrás de escena. Alex, el arquitecto de las sombras, estaba tejiendo las redes del destino de una manera que nunca había imaginado.

El descubrimiento más doloroso de todo fue cuando me di cuenta de que la muerte de mi padre era parte de este siniestro complot. Ese hombre que amaba, que había sido mi guía y mentor, estaba destinado a morir a manos de alguien a quien consideraba un aliado.

No estaba dispuesto a aceptar eso. No permitiría que me quitaran a mi padre otra vez. Decidido a cambiar el curso de los acontecimientos, informé a mi padre de la fecha de su muerte, creyendo que podría evitar esa tragedia. Pero no sabía que Alex estaba manipulando todo como un maestro del ajedrez, moviendo piezas invisibles para asegurarse de que su siniestro plan se hiciera realidad.

Alex, el asesino de mi padre, siempre encontró una manera de asegurarse de que lo mataran. Robaría el algoritmo final de las notas de mi padre, asegurándose de que la realidad permaneciera intacta, incluso si eso significara repetir la misma tragedia una y otra vez. Y, para aumentar el horror de la situación, utilizó su influencia para culpar al grupo Sombras de la Conspiración por estos hechos.

En cada realidad, la historia se repitió. Avisé a mi padre, intenté cambiar el rumbo del destino, pero Alex siempre iba un paso por delante, manipulando el resultado final. Y antes de matar a mi padre, le rogó a su yo pasado que abandonara el grupo y cambiara su propio destino.

La complejidad de la trama era abrumadora. Alex jugaba con el tiempo y el destino, usando las piezas de nuestras vidas como peones en su tablero. Estaba tan profundamente involucrado en su propia red de mentiras que ya no sabía en quién confiar.

Mientras luchábamos para revelar los secretos y sacar a la luz la justicia, yo también luchaba contra mi propio pasado y mi futuro. Mi deseo de salvar a mi padre estaba en conflicto directo con las manipulaciones de Alex. Y en medio de esta batalla, supe que el siguiente paso era crucial. Estaba decidido a desentrañar el juego de Alex, detener sus manipulaciones y, en última instancia, liberar a mi padre y a nosotros mismos de las ataduras del destino.

Paradojas entrelazadas

En el centro de nuestro conflicto, Alex se encontraba como una Paradoja del Bucle de Información, una figura cuya existencia misma era la fuente inicial de todos los acontecimientos. Tejió un tapiz de intrincadas paradojas, manipulando información y acciones para mantener la red de realidades en constante ciclo.

Por otro lado, me encontré a punto de convertirme en una paradoja de causa y efecto. Mi deseo de salvar a mi padre de la muerte estaba a punto de desencadenar consecuencias impredecibles e incontrolables. Cada intento que hice de alterar el curso del destino podría crear un efecto dominó de eventos que reverberarían a través del tiempo y la realidad, desencadenando un cataclismo que no podía predecir.

Lo que parecía una simple batalla entre héroes y villanos se estaba convirtiendo en un complejo rompecabezas de paradojas entrelazadas. Nuestras acciones e intenciones eran como piezas de ajedrez moviéndose sobre un tablero caótico e impredecible.

Mientras contemplaba la dirección de esta lucha, entendí que cada elección que hiciéramos podría ser nuestra salvación o nuestra perdición. Alex, el maestro del engaño, tenía el poder de jugar con el tiempo y el destino, pero su existencia dependía de los acontecimientos que estaba orquestando. Y yo, que buscaba salvar a mi padre, me enfrentaba a la amenaza de convertirme en la misma paradoja que intentaba evitar.

La batalla que estábamos librando iba más allá de las armas y la tecnología. Fue una batalla de conocimiento y comprensión, de comprensión de las complejidades del tiempo y la causalidad. Estábamos luchando contra los límites de lo que sabíamos sobre el universo y las implicaciones de nuestras acciones.

A medida que las paradojas se entrelazaban a nuestro alrededor, una cosa estaba clara: la respuesta para desentrañar esta intrincada trama estaba más allá de las batallas físicas. Residía en una profunda comprensión de la naturaleza del tiempo y la capacidad de percibir lo que estaba más allá de las apariencias. Y así, me preparé para sumergirme en las profundidades de lo desconocido, buscando descubrir los secretos detrás de las paradojas entrelazadas que amenazaban nuestras vidas y realidades.

Las palabras de Alex flotaron en el aire como una espesa niebla, cargadas de un significado oculto. Se presentó como un maestro del engaño, un artífice de los acontecimientos que, a pesar de sus dudosas acciones, tenía la certeza de que sus medios eran necesarios para alcanzar los fines que se había propuesto.

Sus ojos parecían tener un peso profundo, una comprensión de las complejidades que trascendían nuestra realidad. Con cada enigma que revelaba, nuevas preguntas aparecían en mi mente, formando un rompecabezas cuyas piezas parecían imposibles de encajar.

"Maya", dijo en tono tranquilo, "pronto comprenderás que el camino que recorremos no es el que elegimos, sino el que ha sido definido por el flujo del tiempo y la causalidad. Nuestras acciones pueden parecer sombrías ahora". , pero en Tú pronto entenderás su necesidad."

Mis cejas se fruncieron mientras luchaba por descifrar sus crípticas palabras. Era como si estuviera jugando una partida de ajedrez conmigo, moviendo las piezas con precisión y anticipando cada movimiento que yo haría. Sus acciones e intenciones estaban entrelazadas en una compleja danza de causa y efecto, una danza que apenas estaba empezando a comprender.

"No creas que tomé decisiones a la ligera", continuó con expresión seria. "Sé que las líneas que trazamos son delgadas e inciertas, pero hay un propósito mayor detrás de todo. A veces son necesarios sacrificios para garantizar que se mantenga el equilibrio, incluso si eso significa sacrificarse por un bien mayor".

Quería descubrir los secretos que guardaba, comprender el verdadero significado detrás de sus acciones aparentemente contradictorias. Pero cuanto más lo intentaba, más parecía alejarse, envolviéndose en un velo de misterio que no podía penetrar.

"Maya, eres una pieza clave en este juego cósmico", dijo en voz baja. "Y pronto, todo será revelado. Las piezas encajarán y verán el panorama completo. Hasta entonces, confíen en las decisiones que hemos tomado, incluso si no parecen claras".

Sus palabras resonaron en mi mente mientras luchaba por entender lo que quería decir. Había una profundidad en sus revelaciones, una complejidad que apenas estaba empezando a vislumbrar. Y mientras me preparaba para afrontar los desafíos que me esperaban, una cosa era segura: el camino que estaba recorriendo estaba envuelto en misterio y ambigüedad, pero estaba decidido a descubrir la verdad detrás de los acertijos que Alex me había planteado.

Cada revelación de Alex fue como una pieza más del rompecabezas que compuso mi historia. Sus palabras penetraron profundamente, desafiando mis creencias y sacudiendo los cimientos de lo que creía saber.

Mientras procesaba sus palabras, soltó una verdad que sacudió mi mundo: mi propio padre me estaba mintiendo. Él no era el genio que había creado la tecnología y las armas que yo usaba; de hecho, fue Alex quien proporcionó estas innovaciones. Esta revelación cortó como una cuchilla afilada, cortando la confianza que tenía en mi padre.

"Maya, entiende que el tiempo es un laberinto complejo e impredecible", dijo Alex, con la mirada fija en mí. "Yo no soy el enemigo aquí. Fui reclutado por ti, los mayas del futuro lejano, para comenzar este viaje en el tiempo".

Sus palabras fueron difíciles de digerir. Me encontré en una red de paradojas y enigmas, donde pasado, presente y futuro se entrelazaban de manera confusa. El hecho de que yo, en el futuro, hubiera reclutado a Alex para comenzar este viaje fue una revelación que desafió mi comprensión.

"Estás cansado de ver suceder las mismas cosas una y otra vez", continuó, su voz cargaba un peso que podía sentir. "Yo también. Por eso ha llegado el momento de romper este ciclo, de romper las cadenas del destino que nos atan a acontecimientos predestinados".

Lo miré, tratando de entender lo que estaba sugiriendo. Era como si me estuviera llamando a una revolución contra las fuerzas que manipulaban nuestro destino, una revolución que requeriría que confrontáramos la estructura del tiempo mismo.

"Maya, eres la clave para cambiar el curso del futuro", dijo con expresión seria. "Ambos fuimos arrojados a esta trama cósmica, pero ahora tenemos la oportunidad de darle forma diferente. El Sol Mecanizado era su idea de futuro, una herramienta para cambiar el destino de la humanidad".

Sus palabras resonaron en mi mente y me encontré enfrentando un dilema monumental. Era como si estuviera a punto de tomar una decisión que afectaría no sólo el presente, sino todo el tejido del tiempo. Sabía que había mucho más por descubrir, tantas verdades escondidas bajo las capas de misterio e ilusión.

Mientras absorbía las palabras de Alex, la sensación de romper patrones comenzó a crecer en mí. Ya no estaba dispuesto a ser un jugador pasivo en este juego cósmico. Era hora de enfrentar mi propio destino de frente, desentrañar las mentiras y manipulaciones que me rodeaban y recorrer un camino que era verdaderamente mío.

"Alex", dije con voz firme, "no seremos marionetas del tiempo. Daremos forma a nuestro propio destino, enfrentaremos las sombras que nos manipulan y descubriremos la verdad detrás de todo. El ciclo puede romperse, y yo "Estoy dispuesto a luchar por ello."

Alex me miró y sus ojos expresaban una mezcla de determinación y alivio. Estábamos juntos en este viaje, enfrentando lo desconocido con coraje y esperanza. Las piezas del rompecabezas comenzaban a encajar, revelando una imagen más compleja e intrigante de lo que jamás hubiéramos imaginado.

Final alternativo

E l universo pareció contener la respiración mientras Alex y yo afrontábamos el desafío final: detener los viajes en el tiempo y poner fin a los ciclos que nos aprisionaban. Nuestra determinación era más fuerte que nunca y teníamos un plan audaz para enfrentar la estructura misma del tiempo.

Gracias al generador de partículas de la nave que contenía propulsión inversa, pudimos obtener la tecnología necesaria para crear un dispositivo capaz de bloquear los viajes en el tiempo. Era una tarea arriesgada, ya que interferir con las leyes del tiempo era peligroso e impredecible. Pero no estábamos dispuestos a dejarnos manipular por fuerzas que escapaban a nuestro control.

Reunimos a un grupo de aliados de confianza, personas que creían en nuestra causa y estaban dispuestas a arriesgarlo todo para poner fin a los ciclos interminables. Juntos diseñamos y construimos el dispositivo, utilizando nuestra comprensión del viaje en el tiempo para contrarrestar las anomalías temporales que nos rodeaban.

Por fin ha llegado la hora de la verdad. Nos paramos frente al dispositivo, con el corazón acelerado por la tensión y la incertidumbre de lo que sucedería a continuación. Nuestros aliados estaban con nosotros, unidos por un objetivo común: liberarnos a nosotros mismos y a la humanidad de las ataduras del tiempo.

Con un toque final activamos el dispositivo. Una ola de energía recorrió el entorno y el propio espacio-tiempo pareció vibrar en respuesta. Miré a Alex y nuestros ojos se encontraron en una profunda comprensión. Estábamos a punto de desafiar las fuerzas que dieron forma al destino y la realidad.

A medida que el dispositivo empezó a funcionar, las anomalías temporales empezaron a desaparecer. Era como si el tejido del tiempo se reajustara, corrigiera desviaciones y restableciera el orden natural de las cosas. Un suspiro colectivo de alivio resonó entre nosotros al saber que estábamos logrando nuestro objetivo.

Miré al cielo y vi las estrellas brillar con renovada intensidad. El universo mismo parecía estar celebrando la victoria sobre los ciclos que nos mantenían atrapados. La oscuridad que se cernía sobre nosotros comenzó a disiparse, dando paso a la luz y la esperanza.

Al final, ya no éramos piezas en el tablero del tiempo. Habíamos desafiado a las fuerzas que intentaron manipularnos y moldear nuestro destino. Éramos los arquitectos de nuestro propio futuro, los protagonistas de nuestra propia historia.

Y así, Maya y Alex pusieron fin a los interminables ciclos de viajes en el tiempo. Habían superado paradojas, se habían enfrentado a la estructura misma del tiempo y habían moldeado un nuevo destino para ellos y la humanidad. En lugar de oscuridad e incertidumbre, ahora había luz y posibilidades. El futuro estaba en sus manos y estaban preparados para afrontar cualquier desafío que se les presentara.

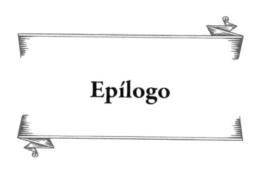

Epílogo

Después de poner fin a los interminables ciclos de viajes en el tiempo, Maya y Alex se embarcaron en un viaje de descubrimiento y renovación. El universo estaba libre de las cadenas que los aprisionaban y ahora podían mirar hacia el futuro con esperanza y determinación.

Con la tecnología que habían obtenido, Maya y Alex ayudaron a la humanidad a explorar nuevos horizontes. Las naves espaciales avanzadas, impulsadas por propulsión temporal inversa, han allanado el camino para la exploración de exoplanetas y galaxias distantes. La Tierra se ha convertido en un punto de partida para aventuras intergalácticas, en las que la humanidad alcanza estrellas que alguna vez parecieron inalcanzables.

Maya continuó honrando la memoria de su padre compartiendo sus descubrimientos científicos y tecnológicos con el mundo. Se convirtió en una líder en la búsqueda de un equilibrio entre ciencia y ética, garantizando que el conocimiento avanzado no se utilizara con fines nefastos.

Alex, a su vez, encontró la redención a través de sus acciones en nombre de la humanidad. Lideró los esfuerzos para unir naciones y culturas en una colaboración global, promoviendo la paz y el entendimiento. Sus habilidades estratégicas y su visión de largo plazo fueron fundamentales para construir un mundo más unido.

A medida que pasó el tiempo, Maya y Alex continuaron trabajando juntos, enfrentando los desafíos que surgieron en el camino. Sabían que el futuro todavía estaría lleno de obstáculos, pero estaban decididos a afrontarlos de frente.

El legado de Maya y Alex ha resonado a través de generaciones, inspirando a jóvenes científicos, aventureros y visionarios a lograr lo imposible. Puede que el ciclo de viajes en el tiempo haya terminado, pero el viaje de descubrimiento y exploración apenas comienza.

Y así, Maya y Alex dejaron su huella en el universo, recordados no sólo como los arquitectos de un nuevo destino, sino como símbolos de coraje, perseverancia y la creencia de que el futuro está moldeado por las acciones del presente. Con la mirada puesta en el cielo estrellado, continuaron caminando hacia nuevos horizontes, dispuestos a afrontar cada desafío con la determinación que los había convertido en leyendas.

Dedicación

"Dedico este libro a todos aquellos que buscan desentrañar los misterios del tiempo y el espacio, que se atreven a explorar lo desconocido y que creen que el futuro es un territorio que debe ser moldeado mediante acciones valientes y visionarias. Que estas páginas inspiren a soñadores, científicos , aventureros y todo aquel que busque alcanzar nuevos horizontes, tal como los personajes de esta historia, que sigamos recorriendo caminos de descubrimiento y crecimiento, dejando nuestra huella en el tejido del universo.

Con gratitud,

Antonio Carlos Pinto"

Agradecimientos

Agradezco sinceramente a todos los que contribuyeron a hacer de este libro una realidad:

A mis familiares y amigos, por su apoyo incondicional y paciencia durante las horas que estuve inmersa en este universo creativo.

A los lectores, por aventurarse en las páginas de esta historia y por darle vida a las palabras con su imaginación.

A los profesores y mentores que compartieron conocimientos e inspiración, enriqueciendo mi trayectoria como escritora.

Al equipo editorial, que trabajó incansablemente para transformar las ideas en palabras impresas, dando vida a cada personaje y escenario.

Y a todos aquellos que, de una forma u otra, ayudaron a darle forma a este libro y hacerlo realidad.

Que nuestros caminos sigan cruzándose en las páginas de las historias y en el camino de la vida.

Con gratitud,
Antonio Carlos Pinto

Don't miss out!

Visit the website below and you can sign up to receive emails whenever Antonio Carlos Pinto publishes a new book. There's no charge and no obligation.

https://books2read.com/r/B-A-RODAB-QDJQC

Did you love *Maya y Alex y el Sol Mecanizado*? Then you should read *Stellar Exodus and the Lost Dimension*[1] by Antonio Carlos Pinto!

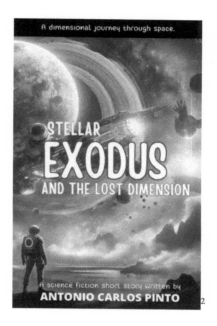

In the phase space of space-time fluctuations, between wormholes and galaxies connected by quantum singularities, a multiverse of advanced cognitive systems emerges. An exponential spectrum of fractal realities, where spaceships are nodes of transcognition, intertwining in quantum superpositions.

Under the aegis of the Celestial Aurora, Zephyr Astra becomes the cognitive vector, navigating the folds of existence. Portals are thresholds of consciousness, cracks in the fabric of space-time.

In each dimension, the gravity of possibility is transformed by fluid laws of cognitive physics. Zephyr faces not just three-dimensional problems, but fractal explosions of potentiality.

---

1. https://books2read.com/u/bwQ8XZ

2. https://books2read.com/u/bwQ8XZ

This is an unprecedented odyssey, a search for understanding in a cosmos of inscrutable complexity. The sky is an abstraction for those who decipher the mysteries of the continuum. The Celestial Aurora is the quintessence of exploration, and the universe, an infinity of emerging understanding.

Read more at https://www.amazon.com.br/Antonio-Carlos-Pinto/e/B08ZYRK243/ref=aufs_dp_mata_mbl.

Also by Antonio Carlos Pinto

A Feiticeira de Shadowthorn
A Feiticeira de Shadowthorn
The Witch of Shadowthorn - The inheritance
The Witch of Shadowthorn - Heirs of Tomorrow

Império de Truvok
Realidades Alteradas

Maya & Alex
Maya & Alex And the Mechanized Sun
Maya & Alex und The Mechanized Sun
Maya y Alex y el Sol Mecanizado

Seraphis
The Medium Seraphis and The Fifth Dimension
Der mittlere Seraphis und die fünfte Dimension

Stellar Exodus
Stellar Exodus and the Lost Dimension

The Sorceress of Shadowthorn
The Witch of Shadowthorn

Wastervale
Wastervale - Floresta Sombria
Wastervale – Der dunkle Wald

Wastervalley
Waster Valley - The Dark Forest

Standalone
Maya & Alex: E o Sol Mecanizado
O Médium Seráfis e A Quinta Dimensão
Revoar Dos Pássaros Livres
Flight of Free Birds
Êxodo Estelar e A Dimensão Perdida
Teoria da Viagem no Tempo através da Confluência da Relatividade e
Astrofísica
As Cartas de Mariya Iris
María Espoleta

Watch for more at https://www.amazon.com.br/
Antonio-Carlos-Pinto/e/B08ZYRK243/ref=aufs_dp_mata_mbl.

About the Author

Antonio Carlos Pinto é um escritor apaixonado pelo ofício de criar histórias de ficção científica e fantasia. Sua vocação para a escrita surgiu já na infância e se consolidou ao longo dos anos por meio de muito estudo e dedicação à escrita.

Especializado em livros de ficção científica, fantasia e romances épicos de aventura, Antonio tem uma habilidade singular para transportar os leitores para outros mundos, sejam eles reais ou imaginários. Entre seus livros mais conhecidos estão A Feiticeira de Shadowthorn, Wastervale e Todos os Amores.

Sua escrita fluida e envolvente remete tanto a tempos antigos quanto a cenários futuristas. Antonio domina a língua portuguesa e suas nuances, o que lhe permite elaborar tramas complexas e textos ricos em detalhes.

Além de livros para o público adulto, Antonio também escreve ficção peculiar para os jovens leitores. Suas histórias cativantes incentivam o gosto pela leitura entre adolescentes.

Com sua imaginação fértil e seu talento primoroso para a narrativa, Antonio Carlos Pinto segue firme em seu propósito de levar ao público obras instigantes, que divertem e emocionam seus leitores.

Read more at https://www.amazon.com.br/Antonio-Carlos-Pinto/e/B08ZYRK243/ref=aufs_dp_mata_mbl.

About the Publisher

Antonio Carlos Pinto é um escritor dotado de uma mente criativa que sempre esteve imersa no poder das palavras. Sua incursão na arte da escrita teve início na infância, quando sua paixão por contar histórias começou a ganhar forma. À medida que os anos passaram, dedicou-se incansavelmente a aprimorar suas habilidades literárias.

Ele deseja compartilhar um pouco sobre seu estilo de escrita, que considera singular e inovador. Em suas obras, busca infundir vida nos personagens e nas narrativas através de uma abordagem que denomina "Sombroespério".

Esse estilo não se limita a uma única categoria, permitindo-lhe explorar ficção científica e dark fantasia, romance e poesia, assim como temas relacionados à religiosidade e espiritualidade.

A raiz do "Sombroespério" não repousa apenas na imaginação, mas sim na fusão de diversos estilos literários. Anteriormente, suas narrativas amalgamavam elementos dos estilos Gótico, Romântico, Modernista e

Pós-Modernista, dando origem ao que ele denominava "Neo-Romantismo Sombrio".

Esse estilo almejava combinar a intensidade emocional do Romantismo com a atmosfera sombria e elementos sobrenaturais do Gótico. Ademais, incorporava técnicas de narrativa fragmentada e a exploração da subjetividade do Modernismo, juntamente com elementos metaficcionais e a desconstrução narrativa do Pós-Modernismo.

A inserção de convenções tradicionais shakespearianas culminou na gênese do "Sombroespério". Essa sinergia entre o Neo-Romantismo Sombrio e o estilo característico de Shakespeare resulta em uma expressão literária ímpar e inovadora.

"Sombroespério" espelha a profundidade emocional do Neo-Romantismo Sombrio e a eloquência dramática de Shakespeare, criando uma abordagem que desafia e comove o leitor.

Antonio Carlos Pinto espera que essa breve introdução ao seu estilo de escrita tenha sido esclarecedora e aguarda ansiosamente para compartilhar mais sobre suas obras e explorar as possibilidades de colaboração.

Milton Keynes UK
Ingram Content Group UK Ltd.
UKHW010935221123
433051UK00001B/84